宮川淳とともに

宮川淳とともに

吉田喜重＋小林康夫＋西澤栄美子

水声社

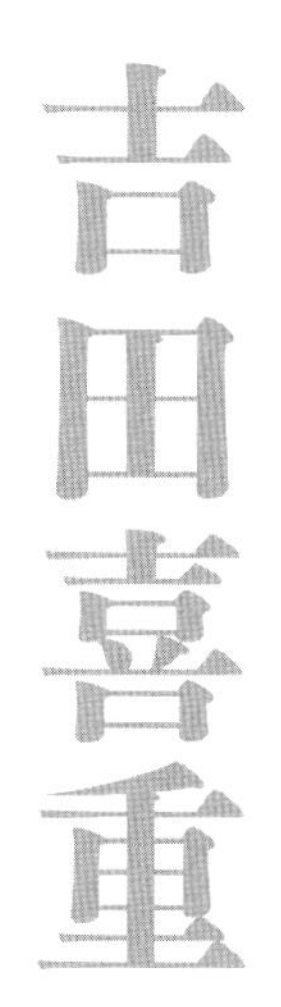
吉田喜重

【初出】

「宮川淳の思い出（上）」『水声通信12　特集：宮川淳、三〇年の後に』二〇〇六年十月号、水声社

＊

「宮川淳の思い出（下）」『水声通信13　特集：何のための出版？』二〇〇六年十一月号、水声社

宮川淳の思い出

聞き手＝西澤栄美子＋小林康夫

西澤栄美子　今回のインタビューは、大学時代の宮川淳さんを最も良くご存知の吉田監督に、学生時代を中心とした宮川さんのことをうかがうことが目的の一つですが、お話をうかがう中でお二人の若い日の交流が、お互いをどのように育んでいったのか、ということと、後のお二人のお仕事にどのように関わっていったのか、ということが浮かび上がってくれば良いと思っています。私は助教授として宮川さんが勤務していらした成城大学で講義を受けましたが、宮川さんは一時期、東京大学と東京都立大学で、非常勤講師として外書講読を担当なさっていました。その当時、東京大学で宮川さんの学生だった小林康夫さんにもオブザーバーとして参加していただいています。お二人ともどうぞよろしくお願いいいたします。

宮川淳との出会い

西澤　まず、監督と宮川さんとは、大学に入ってすぐに交流をもたれて、毎日のようにお会いになって、アルバイトも同じようになさっていて、大学に入ってすぐとても親しい関係になられたというのを、監督のエッセイで読ませていただいたのですけれど、お二人の出会いというのはどんなものだったんでしょうか。

吉田喜重　私が宮川氏とはじめて出会ったのは、大学に入る直前でした。私たちは一九五一年の四月に、東大の駒場に入学するのですが、おそらくその一カ月前の三月、彼と私との共通の友人がおり、その人の紹介で会ったのが初めてです。この五一年の三月には、私も宮川氏もすでに大学受験にパスしていました。

戦後、四七年の春、旧制中学三年の折り、私は生まれ故郷の福井より東京に転校してきました。もっとも私の父は戦前から東京で仕事をしており、私の一歳半年上の姉は東京で生まれていました。ただ私の母は、私を妊娠してまもなく結核に感染し、それで福井へ帰り、私を生むのですが、父は東京に残っていましたから、東京の生活は身近なものだったのです。敗戦後、東京が少し安定してきたと、父は判断したのでしょう、昭和二十二年の四月、私は東京に転校してきたのです。

私の家は東横線沿線にあって、父は私を、当時目黒区にあった旧制府立高校、後の都立大学の付属中学に入れようとしたのですが、新制中学制度がしかれ、その新たな学区制のために、二駅先の都立大学付属ではなく、遠く離れた港区六本木にありました都立二十六中学、後に城南高校となる中学に編入されたのです。満員電車に乗り渋谷まで出て、都電に乗り換えて通学したのですが、まだあたり一面には焼け野原だけが広がる、荒涼とした風景でした。いまではその高校も、六本木の都市開発と少子化により、廃校となっています。

そして転校してまもなく、後に農政学者となる速水佑次郎氏と出会い、親しくなったのです。

当時速水氏も文学志向で、中学生同士でもそれがわかり、親しくなったのでしょう。ところが新制高校一年を終えたとき、速水氏は都立大学付属高校に編入試験を受けて転校したのです。東大を受験してパスするためには、それだけのレベルのある高校でなければ、難しいと思われていたからですが、たしかに私たちの城南高校より東大に入った生徒は、まだ誰もいなかった。その速水氏が都立高校に移って知り合ったのが、宮川氏だったのです。

そして五一年の三月、東大への入学が決まっていた私は、速水氏の紹介ではじめて宮川淳氏と出会いました。私も宮川氏も、同じ駒場の教養学部文Ⅱにパスしていましたから、速水氏は私たちを引き合わせたのでしょう。まだ二人とも十八歳の若さでした。

それ以後、宮川氏とは駒場の構内で毎日のように会うようになり、急速に親しくなるのですが、ただクラスは違っていた。私のクラスは、ボードレール学者で後に東大教授となる阿部良雄氏、作家の井出孫六氏、いまは亡き文芸評論家の種村季弘氏、私と同じ映画人である石堂淑朗氏、藤田敏八氏等、大変ユニークな人間が多かったのですが、私は何故かクラスの違う宮川氏と、もっとも親しくなったのです。どこか本能的に自分と似ていると感じたからでしょうが、ほとんど毎日のように会い、話し合うようになった。

もっとも彼と私のあいだに、違いもありました。二人ともフランス文学科に進もうとしていたのですが、それとは直接関係のない講義、たとえば哲学、歴史、社会学等にも、私は関心があり、そうした講義に出ようとすると、宮川氏は「どうして出るの」と、何気なく問いかけてくる人でした。おそらく非常に早くから自分が考えていること、関心があることが、はっきりしていた。それ以外のものは夾雑物として、遠ざけようとしたのでしょう。純粋とか、早熟ともいえるのでしょうが、自己中心的に閉じこもろうとする気持ちを、彼が強くもっていたのは確かです。

その時代は、まだ不安に満ちたものでした。戦後の状況に加えて、入学の前年には新たに朝鮮戦争が起こり、いっそうの緊迫感を与えていました。そして入学した翌年の、五二年五月一日には、当時は人民広場と呼ばれていた皇居前広場で、血のメーデー事件が起こっています。それでも私は宮川氏と駒場の構内で、静かに話し合っていたように思います。そうした時代をやり過ごそうとする、暗黙の了解があったからでしょう。

そのころは、生活に追われていたのも事実です。ほとんどの学生はアルバイトをしなければならなかった。私たちも例外ではありません。私は週に三回ほど、家庭教師をしていましたから、あまり講義に出る時間がなかった。それでも彼と会うと、駒場の芝生で長時間話し、さらに帰りに渋谷でコーヒーを飲む。彼も私も、当時はタバコを吸っていましたから、コーヒーとタバコでまた長時間、文学の話をする。

二人とも本をよく読むのですが、不思議なことにいっしょに本屋に入ったことがない。映画をいっしょに見た記憶もない。私は高校時代に映画を、それも洋画でしたが、数多く見たのですが、もう見終わったという気持ちがあったのでしょうか、大学へ入ってからはそれほど映画を見た記憶がない。ジャン・コクトーの『オルフェ』をいつ見たのだろうと思って、フィルモグラフィを確かめてみたのですが、製作されたのは一九五一年です。それより数年遅れて、日本では封切られていますから、大学時代に見たことになる。当然宮川氏といっしょに見たのだろうと思いますが、確かな記憶ではありません。もっとも彼は見た映画、絵画等について、多く語ろうとする人ではなかったからかもしれない。それでも『オルフェ』のなかの、手から溶け込むように鏡の中へ入って、冥府に行く光景を語り合った記憶がある。『オルフェ』をいっしょに見たのか、別々に見たのか、さだかではありませんが、『オルフェ』の鏡について語り合ったのは確かです。

当時毎日のように宮川氏と話し合っているうちに、彼の読書歴、その軌跡といったものがおのずからわかってきました。数カ月間リルケに夢中になっているかと思えば、あるいはヴァレリーに熱中し、「純粋意識」について語ったりする。

純粋意識と剰余の肉体

吉田　やがて本郷に移って、私たちは同人誌に参加し、私は小説を、そして宮川氏は評論を書くのですが、当時彼が発表した太宰治論、堀辰雄論、石川淳論には、共通したものがあります。なるべく短編を対象にして、作家論というより、その短編のイデーを明晰なことば、たとえば「純粋意識」といったことばで捉えている。それが可能なのは、宮川氏が自分の思想といったものをゆるぎないものとしている証拠ですが、当時の私は、こんなに早く自分がわかってしまっては、彼はこれからどのように生きてゆくのだろうと、不安を感じたのも確かでした。大変よく似た教養体験をしながらも、かなり資質が違うことに、私たち両方が気づくようになってゆく。

宮川氏が同人誌に書いた最初の太宰論は、「哲学の最大の主題は自殺であるということをぼくは信じない」と書きはじめられています。たぶん引用された文章だと思いますが、そのあとに「自殺は、人間のバイタリティの問題にすぎない」と書き、自殺を否定しながら、すぐさま死を引き寄せるような表現をしている。しかも私との日ごろの会話では、「自分はバイタリティがない人間だ」と、口癖のように語ってもいたのです。彼は「自殺」とか、「死にたい」という表現は直接したことはありませんでしたが、「長く生きたくない」という間接的な話し方をし、「その日、その日が晩年」ということばを好んで使っていた。

もっとも私は友人として、彼が死とすれすれのところにいることの危険を感じて、そのことを話したこともあったのですが、逆に宮川氏は私に、それほど生きることに自信があるのですかと、問い返したかったことでしょう。もっとも親しい友人であると思いながら、見事に彼と私は違っていました。おそらく私たちは、古風な言い方ですが、真剣だった。相手の考えはよくわかるのですが、妥協をいっさいしない。妥協すれば、自分が壊れてしまいます。そうした緊張の日々だった。

その後、美術評論家になってからの宮川氏の文章にもよく出てくることばですが、彼は非常に早い時期から、意識と肉体、あるいは精神と肉体を区別し、太宰治論や堀辰雄論も、そうした視点から書いている。石川淳については、意識と肉体とがかなりないまぜになって捉えられていますが、それでも宮川氏は必ず意識の側に立って書いている。だが死の意識は把握できても、肉体の意識は成り立ちにくい。性の対象としての肉体ではなく、限りあるものとしての肉体、その肉感、当時はそれを実存と呼んだのですが、宮川氏はそれを排除しようとする。そのあたりが、私と違っていたのでしょう。

彼は七七年、四十四歳の若さで他界しますが、その亡くなる直前に出版された『エピステーメー』の空間論の特集号に、「空間のエロティシズム」というタイトルで、私は石川淳論を執筆しています。それは宮川氏の回復がもう望めないことを知った上で、かつて同人誌時代に彼が書いた石川淳論にたいする、遅ればせながらの、私の返歌としてかかれたものです。

石川淳の処女作、『佳人』を二人とも取り上げているのですが、空間をあくまで意識の対象と捉える宮川氏と、肉体の対象としてのエロティシズムをそこに読み取ろうとする私との、相聞歌といってもよいのでしょうが、彼がまだ生命のあるうちに、そうした思い出を書きしるしておきたいという気持ちが、私のなかに強くあったのでしょう。

『佳人』の主人公は、死ということばを口にするわけではありませんが、死に場所を求めている。死にふさわしい空間、そうした風景を捜しもとめながら、決して遭遇しないようにうまくやり過ごそうとするのですが、ついにここが死ぬ場所と思いつめたときに、主人公の口から思わず出たことばが、「歩く一夜芙蓉の花に白みけり」という歌だった。死に場所を見つけたと思った瞬間、そうした意識とは裏腹に、おのずから歌を口ずさんでしまう自分、容易には死ねない自分、無意識のうちにも、なお歌をうたおうとする肉体としての、いまひとりの自分に気づいたといってもよかったのでしょう。

当時、宮川氏は再手術し、危険な状態にいることを私は知っていましたから、彼に生きてもらいたい、人間はそう簡単に死ねるものではないという、そうした私の思いを、石川淳の歌、「歩く一夜芙蓉の花に白みけり」に託そうとしたのですが、彼はそれを読むことができたかどうか、かなり苦しい病状でしたから、読むことはできなかったでしょうね。

彼とは非常によく理解しあったのですが、私たちはちょうど表裏一体のような関係にあった。意識と肉体のかかわりを、私はなるべく両義的に、曖昧にしておかないと、思想は硬直化し、行きづまる。その先には死しかない、そのように思えたのでしょう。宮川氏はそれを精神の運動として研ぎすまし、無駄なものを排除しようとする。私はなるべく剰余のものを残し、それを抱きながら生きるしかない。

西澤　生きるための時間のほうが……。

吉田　それが非常に早くから、私がサルトルに関心をもった理由ですね。私は可能なかぎり剰余を引き受け、足し算、掛け算の人生を考え、宮川氏は可能なかぎり切り捨てて、引き算、割り算してゆく。これだけすれ違っている二人が友人でありえたのも、互いを理解し、衝突することを、両方が避けていたからだと思います。

西澤　でも、そこまでお互いにわかりあえている関係はほかにはないように思います。

吉田　こうした緊迫した関係が生まれたのも、その時代が反映していたのでしょう。たとえば、私がサルトルと出会ったのは、高校のときに『嘔吐』を読んだからです。それまでもいろいろな小説を読んできましたが、『嘔吐』はまったく異質のものでした。そして魅了されたのでしょう、私はサルトルを研究しようとして、大学では哲学科に行くことを考えはじめるのですが、父に反対されてしまいました。

西澤　せめて文学をと。

吉田　まだ世の中が不安定な時代でしたから、父は私の生活を心配したのでしょう。もちろん宮川氏は私と出会った当時、すでに私が卒業論文にサルトルを選ぶことを知っていましたが、私は彼がなにを選ぶかはわかりませんでした。たぶんヴァレリーだろうと想像していましたが。

もっとも宮川氏と知り合って、はじめて彼から読まされたのは、詩でした。大学ノートに、小さな特徴のある字で書かれていましたが、読んですぐに感じたのは、「マチネ・ポエティク」の影響、そうした印象の詩でした。加藤周一さん、福永武彦さん、そしてのちに私自身、仏文科で講義を受ける中村真一郎さんたちによる「マチネ・ポエティク」、フランス近代詩の延長上にあるといってもよいのでしょうが、宮川氏の詩にもそれが反映していたのでしょう。

当時私はランボーや、T・S・エリオットの詩に興味がありましたから、彼の詩はあまり評価しなかったことを覚えています。その後、宮川氏が詩を書きつづけたかどうか、わかりません。そしてあの大学ノートに書かれていた詩が、いまも残されていれば、当時の彼を理解する貴重な資料となるはずです。宮川氏のほうも、私が関心のあるサルトルについては、否定的だったように思います。当時、フランスの思想、文学の新しい情報は、サルトルの『シチュアシオン』をとおして知るのですが、私がジョルジュ・バタイユやモーリス・ブランショの話をしても、彼はあまり興味を示さなかった。サルトルは夾雑物が多すぎると感じたのかもしれませんね。

美術と文学の方へ

吉田　駒場から本郷に移るとき、彼は美学を選び、私はフランス文学を選ぶのですが、それまでは彼が美術にあまり関心があるとは思いませんでした。もっとも、彼と二人で数多くの美術展、画廊を見てまわったのは事実です。

西澤　大学に入学してすぐその春に、お二人でいくつもの美術館にいらしたと……。

吉田　いっしょに映画館に行った記憶はあまりありませんでしたが、美術展にはよく行きましたね。当時、時代がやや安定したこともあって、国際的で大規模な美術展がいろいろと開かれたのです。ゴッホ展、ルオー展。メキシコのリベラ、シケイロス、タマヨ展、読売アンデパンダン展も活気に満ちていました。河原温、池田龍雄といった若い画家たち、美術批評も江原順、中原佑介といった人たちが注目されはじめていました。

西澤　瀧口さんとか。

吉田　瀧口修造さんは新聞に、刺激的な美術批評を定期的に書かれていましたから、私たちはよく読んではいましたが、当時私も宮川氏も、美術を強く意識していたというより、文化の一つとして受け入れていたように思います。宮川氏がいつごろから美術批評家になることを考えはじめたかわかりませんが、それを知ったとき、意外な気持ちがしたことをいまでも覚えています。

西澤　どこかに書いてありましたが宮川さんは、自分は美術評論家といわれたくないと。

吉田　彼は最後まで、文学にこだわっていたはずです。

西澤　むしろ言葉にたいする興味をもってるということをお書きになっていました。

吉田　彼は四十四年の短い生涯でしたが、彼の残した三巻の著作集に眼を通すと、純粋意識による運動を、いわばカノン、規範、あるいは定理として、肉体を可能なかぎりそぎ落とし、ついにはことばに行き着く思想の軌跡が、鮮やかに読み取れるのですが、ただ私には初期のころの太宰治論、堀辰雄論、石川淳論のほうが、本当の宮川淳氏を等身大に映し出す鏡のように思えてなりません。

おそらく宮川氏は詩人になりたかったのでしょう。ところが運悪く、それをあまり評価しない私と出会ってしまった。ランボーの詩を知っている私には、宮川氏の詩がことばだけの詩のように思われたのですが、それをまさしく裏返すような批評を、宮川氏は私にも語っていたのです。

同人誌に私が書いた最初の小説、『オタヒ』というタイトルですが、それに宮川氏は批判的でしたね。ゴーギャンのタヒチ時代の絵から取ったタイトルですが、タヒチ語では「オタヒ」は「孤独」を意味するようです。浜辺に女性が、ゴーギャンが描く豊満な女性が、下半身だけに布を巻いて、ちょうど蹲るようなポーズをしている作品です。それはゴーギャンの描く抽象画ですから、孤独といった印象的な描写というより、むしろ女性の豊満さのみが眼を奪い、肉体がそこにある、ことばでいう肉体がそこにあるのではなく、ものとしての「肉体」があるといった感じの絵です。

そして私が書いた小説は、人間の肉体を含めて、ものの充満する話です。もちろん簡単なストーリーがあるのですが、いま思い出せないほど、たいして重要ではなかったのでしょう。この小説で、私はものと意識との戦い、否定しながら否定しきれずに、すれすれに触れ合う瞬間を描こうとしたのでしょう。こうした発想は、明らかにサルトルの影響です。

ご存じのように、サルトルは人間のありようを「アン・ソワ＝即自」と「プル・ソワ＝対自」として捉え、前者が後者へと変革することを目指したことはよく知られていますが、初期の時代の『嘔吐』では、むしろものに魅せられ、即自の状態にこだわる人間を描こうとしている。確かに小説の主人公は、最後に自分を覆いつつむ即自的な惰性の日常から、自己選択する対自の世界へと旅立つところで終わっているのですが、しかしそこに至るまでの『嘔吐』は、逆説的にいえば、否定されるべき「もの」的な日常に溺れる快楽を描いてもいるのです。こうした逆説、矛盾は、小説の領域だからこそ許される両義性ですが、当時私が『オタヒ』で描こうとしたのも、こうした「もの」の領域だったのです。

もっとも高校生のとき、『嘔吐』を読んでいるのですから、そのときサルトルが暗示する対自の世界がどこまで理解できていたかわかりませんが、意識とものとの対立、抗争、それをひとつに包みこみ、共存させる肉体に惹かれたのです。もちろんこの場合の肉体とは、セックスとはかかわりのない、みずからの肉体でありながら、他者としての肉体でもあったのです。何故それほど自分の肉体にこだわるのか、それは私自身が、終戦の夏、生まれ故郷の福井で大空襲に遭い、凄まじい炎のなかを逃げまどった記憶があったからです。

その意味では私の小説『オタヒ』は、宮川氏にとってもっとも排除したい肉体、ものの世界の話だっただけに、「ぼくはこういう小説は嫌いです」と、ひとこと言っただけでした。私は彼の詩を受け入れない。宮川氏は私の小説を理解しない。お互いにこうしたきびしい批評をしあったのも、それぞれが抱く文学のイメージがかけ離れていたからですが、それでも友人としての関係を持ちつづけることができたのは、いまから思えば、文学の不思議さとしか言いようがありません。

　本郷に行ってからも、同じような交流が続くのですが、いっしょにアルバイトをはじめたために、大学以外でもほとんど毎日、ともに暮らすようになりました。

　当時、一歳半年上の私の姉が、富士製鉄という会社に勤めていました。現在の新日鉄ですが、戦後の大企業解体により、旧日鉄が八幡製鉄と富士製鉄に分割されていたのです。その富士製鉄の本社が日本橋にあり、姉は秘書課に勤めていたのですが、姉のすすめで私と宮川氏は、春休みと夏休みの二カ月間サラリーマンのように働くようになったのです。仕事は株式の書換え作業でした。いまはもうコンピュータで簡単に処理するのでしょうが、当時は半年間に株主が売買した株数を算盤で合計し、その印鑑証明を確認するという作業でした。それはまったく事務的な、単調な仕事でした。

西澤　『ろくでなし』の主人公がやってるような……。

吉田　そうでしたね。日曜を除き、朝九時から夕方五時半までの労働でしたが、毎日のように七時ごろまで残業をしました。そのお陰で、自分の生活費と学費を得ることができただけでなく、家計を助けることができた。
日本橋にあったこの会社は、丸善にも近く、毎日のように昼休みには宮川氏と丸善に通い、洋書を眺めるのが楽しみでした。そして卒業論文を書くために、サルトルの『存在と無』、『イマジナション』、『イマジネール』等を買うのですが、宮川氏が購入したのは、画家ジャン・バゼーヌの Notes sur la peinture d'aujourd'hui だった。

西澤　はじめに翻訳された『今日の絵画に関する覚書』ですね。

吉田　彼はそれを卒業論文にするのですが、『存在と無』が電話帳のように分厚い書物、ジャン・バゼーヌの覚書は一〇〇頁にも満たないパンフレットのようなものでしたから、これで私が剰余思考の人間であり、そして宮川氏がいかに排除の論理の人間であるかが、おわかりになるでしょう。

沈黙する青年

西澤　お話をうかがっていると、たぶん、大学に入るひと月前から、気があったり、お話しがはずむような友人になられて、それでたぶん、最初にお話をしてくださったように、ほかの人たちから見ると、姿形がなんとなく似てらっしゃり、似た雰囲気をもっていらっしゃった。そしていつもいっしょにいらっしゃるという、そういうお二人が、もちろん違う人間で違う生活をなさっていたのだから、当たり前のことなんですけれども、お互いの違うところをお二人が話し合っていくうちに、ますます意識して、違う道にいらしたような、そういう二人の青年が想像できます。

吉田　そのときの時代状況、社会状況が私たちに反映し、二人を結びつけていたのかもしれませんね。当時は過激な政治的発言をする学生もいましたし、無頼派と呼ばれた流行作家を模倣する学生もいましたが、私たちは物静かだった。それが私たちに人を遠ざけるような場、雰囲気を作らせたのかもしれない。二人が同性愛だと噂されていたと、聴いたこともあります。

しかし不思議なことに、私も宮川氏も友人というにしては、お互いのことをほとんど知らずに過ごしてきた。ことに個人的なことは、まったく知らなかったと言ってもよいほどです。何故そうだったのか、いまから思えば、おそらく私たちには他人には語れない、語ったとしても理解できない、戦争の記憶があったからでしょう。事実、私たちは自分の過去、家庭のこと、幼いころの記憶、ましてや戦争中の記憶について話すこともありませんでしたし、たがいに聞くこともなかった。これは私たちだけではなく、戦争を小・中学生として目撃した世代に共通する身の処しかたかもしれません。いかなる選択肢も与えられずに、ただ理不尽なことを見せられた人間は、深く沈黙するしかない。私も宮川氏も、出会う以前の時間については、一切語らず、知らない。そしていま、ここにいることについてのみ、私たちは話そうとした。

最前、私は故郷の福井で深夜、大空襲に遭ったことを話しましたが、このように語れるようになるためには、長い時間が必要だったのです。人に話しても理解されないと思うからですが、それ以上に、語ることによって自分自身が思い出す、そのことに耐えられないからです。大空襲によって一家離散し、中学一年の私はひとり、炎に追われて逃げまどうのですが、気が動転し錯乱している私を救ってくれたのは、この私の肉体だった。肉体だけが必死になって私を安全なほうへと導いてくれた。この錯乱する自分ではない、いまひとつの他人としての私。そのように思い至るためにも、時間が必要でしたし、サルトルと出会わなければならなかった。もちろん宮川氏と知り合ったのは、戦後六年しか経っていないころでしたから、こうした大空襲の記憶については、沈黙せざるをえなかったのです。

また家庭のことでも、私を生んでまもなく母が亡くなっていること、戦後東京に転校して一年後に福井は大震災に襲われ、故郷に残っていた祖母と、母代わりに私を育ててくれたお手伝いさんが亡くなったことも、人には話す気持ちはなかった。戦後の状況下では、こうした出来事は日常化していて、語ることによって自分自身が惨めな思いをするだけだったのです。

もちろん、宮川氏も個人的なことは、いっさい私に話すことはありませんでしたね。彼が亡くなってから出版された全集の略年譜を読み、彼のお父さんが外交官であり、終戦時はハルビン総領事を務め、その後長らくソビエトに抑留されていたことを、はじめて知るのですが、そのことを彼はひとことも私には話さなかった。さらにこの年譜には、終戦直前の春、中学一年の宮川氏はお父さんの赴任しているハルビンに行き、終戦後、引揚者として帰国していると書かれている。彼も私と同様に、そのとき深く沈黙せざるをえないなにかを、見たのかもしれない。

ただ、このクロニクルにも記載されていることですが、宮川氏が幼いころ、外交官のお父さんとともにパリに旅行し、エッフェル塔を見たそうですが、こうした楽しいはずの話も、何故か私にはしてくれませんでしたね。

おそらく出会った当時の私たちには、青春特有の自尊心、あるいは矜持の気持ちが強かったのかもしれません。文学、思想以外は、関心を抱かないという矜持。もっとも青春ということばは、私たちにとってはもっとも気恥ずかしいものでした。毎日を晩年のように過ごしたいと思っていた宮川氏は、特にこのことばを嫌ったはずです。

美術批評家になって以後の宮川氏の思想については、ここにおいでの小林康夫さんにも、のちほどお聞きしたいと思うのですが、それというのも、私は大学時代のわずか四年のあいだの宮川氏しか知りません。それでもその当時、彼が書いた太宰治論や石川淳論以上の優れたものを、彼は書かなかったのではないか、そう思いたくなるほど、早熟に完成していた。すでに最初の太宰論から、彼の文体が鮮やかに読み取れます。その後宮川氏が好んで使うボキャブラリー、そしてディスクールが、この時期にほとんど出揃ってしまっている。それが彼の栄光でもあり、不運でもあったのでしょう。

こうした早熟な知が可能であったのは、先ほど私が触れたように、宮川氏が選んだカノン、規範、公理にそって処理し、それ以外のものを徹底的に排除しようとしたからでしょう。そこにはイデーだけがあらわに示され、それがかぎりなく反復されながら、あたかも詩のように歌われる。だが、カノンの悲しみもあるのです。収斂してゆく先の公理があらかじめわかってしまえば、いま生きている自分はなにか、それもわかってしまう以上、それはみずからの死を意味している。それが私には、みずからの早死を宮川氏自身が誘発しているように思えてならない。

たえず緊張関係にあった二人ですが、私が彼の石川淳論を評価したように、私が同人誌に二度目に書いた小説『泡沫』を、彼は「ぼくは好きです」といってくれた。

ただ書いた私のほうから見れば、前作の『オタヒ』とは違い、『泡沫』には私自身の等身大の姿が表現されている。さほど物語性があるわけではありませんが、いま覚えている光景は、幼い少年のころ、夜の公園の池に浮かぶ白鳥を捕まえ、その喉首に触りたいという欲望を抱いた記憶が、成人してのちの主人公によって語られる。

いまでは曖昧にしか思い出せないのも、この作品を思い起こすのもおぞましいという気持ちがあるからですが、この小説の語り手が電車に乗り、座席に座っている自分の影が、前の席に座っている女性の肉体に伸びてゆき、電車の揺れるにしたがって、その女性の唇に自分の影がふれてゆく、そうした瞬間が描写されているのですが、こうした表現を宮川氏がどのように評価したのか、いまでは確かめようもありません。

彼は好き、嫌いとしかいわない、寡黙な人でした。おそらく話しことばはあまりにも曖昧すぎると感じたために、書くことばによる動かしがたい定理しか信じない人だった。

それぞれの道へ

西澤　最後に、監督が宮川さんの病院にお見舞いにいらした時、監督が映画をしばらくお休みなさっていた時だったからだとは思うんですが、「映画をやめて文学に戻らないの?」とおっしゃったということが、吉田監督のエッセイに書かれていましたけれど……。

吉田　宮川氏が亡くなる前、病院に見舞いにいった折り、すでに映画監督であった私に、「何故、文学に戻らないの?」と問いかけたのが、私への最後のことばとなってしまいましたが、彼がそのように聞かざるをえなかったのも、大学を出る時期に、私たちの関係に大きな変化があったからです。

一九五五年、大学を卒業すると同時に、私たちは就職をするのですが、その前年、宮川氏はすでにＮＨＫに嘱託として勤めることを決めていたようです。大学院へ行くとか、なにか具体的な職業を選ぶとか、そうした気持ちはなく、一時的に嘱託として働くことが、彼自身にはふさわしく思えたのでしょう。ＮＨＫの国際部の嘱託となり、フランスから送られてくるニュース放送を翻訳する。そのように彼から聞いた記憶があります。

私のほうは大学院に進み、学問を続ける気持ちでいました。家庭的にはそうした余裕はありませんでしたが、そのころはアルバイト先の富士製鉄の社員の人たちに、フランス語を教えはじめていましたから、家族に迷惑をかけずに、大学院に行けると考えていた。

それが卒業前年の夏過ぎ、父が突然失明したのです。私を育ててくれた二度目の母には、まだ幼い弟と妹がおりましたから、これ以上、大学を続けることは無理だと判断し、就職先を探すのですが、朝鮮戦争終結後に襲った経済不況もあって、大学にほとんど求人募集がありません。その年の暮れになって、ようやく映画会社の松竹による助監督の募集があり、受験して採用されるのですが、宮川氏も私が映画の世界に入るとは、夢にも思っていなかったでしょう。もちろん私自身にしても、想像もしていなかった。

もっとも当時、宮川氏とはたがいに職業について話し合った記憶がほとんどなかったことを考えれば、二人とも定職に就かずに、なにかものを書くことを夢見ていたのでしょう。それにふさわしいのが、彼の場合、あまり拘束されることのない嘱託という仕事だったのでしょうが、私の選んだ映画の世界はそうではなかった。

松竹に助監督として入社して以後は、あまり家に帰れずに、大船の撮影所で生活しているような状態でした。映画が娯楽産業の中心として大量生産されていた時代でしたから、夜の十一時ごろまで撮影し、スタジオの中にある宿泊施設で休み、食事も会社の食堂であるといった状態でしたから、宮川氏と会うこともできない。彼が勤めていたＮＨＫは、当時は日比谷公園近くの内幸町にあったのですが、その近くの喫茶店で数回、会った記憶があるだけです。おそらく彼のほうも、フランスから放送されてくるニュースが時差のために、夜勤することが多かったのでしょう。

西澤　その時期の交流は……。

吉田　ただ一年が過ぎて、翌年の春、私のほうに変化がありました。そのころ、私は撮影所の主流である娯楽映画、コマーシャル・ベースの作品に抵抗して、オリジナル・シナリオを書くのですが、それが木下恵介監督の目に止まり、木下組の助監督に付くように声をかけられた。そのお陰で、私は比較的自由な時間がつくれるようになったのです。当時、大船撮影所はディレクター・システムをとっており、木下組専属の助監督になれば、他の監督に付かなくてもすむ。木下さんがシナリオを書くときには、口述をしましたから、私がそれを筆記する。そして撮影に入れば、ハードな労働が続きますが、それが終わると、次回作までには数カ月の余裕ができる。私は自分の時間がつくれるようになったのです。そしてオリジナル・シナリオを書くだけでなく、映画評論も発表するようになったのですから、木下さんには感謝しています。

もちろん、その時期は私自身、映画監督になることを強く意識しはじめていたのでしょう。すでにお話したように、私は映画監督を志望して、撮影所に入ったわけではありません。試験に合格してからも、最後まで迷い、仏文科の主任教授でおられた渡辺一夫さんに、そうした気持ちをお話したのですが、「一度、映画の世界に行ってみてはどうですか。

それがあなたに不向きであれば、帰ってくればよい。大学の門戸はいつでも開かれていま
す」といわれた。このことばが、いまの私を支えてもいるのです。

最初は労働のために入った映画でしたが、やがて撮影所で大量生産されている映画とは異なる、私自身の映画をつくることを強く意識するようになったのです。それは文学より遠ざかり、離別することを意味していたのでしょう。そして大学のころ、あまり見なくなっていた映画を改めて、それも映画をつくる現場、その内部の視点から見直すようになったのです。

西澤　大学時代にはほとんど映画をごらんにならなかったのでしょうか。

吉田　戦前は、両親が映画が好きということもあって、とりわけ東京よりお嫁に来た二度目の母は、モダンな人でしたから、外国映画をよく見せてくれました。そうした影響でしょうか、戦後になっても、中学、高校生のころには、外国映画をよく見ましたが、その多くは、父や母の世代が見た、戦前の名画でした。しかし、日本映画はあまり見た記憶がない。たぶん戦争中に数多く見せられた、戦争のプロパガンダ映画への不信があったから

でしょう。戦前と戦後の日本映画の変質を、私たちの世代はよく知っているのです。黒澤明監督の『野良犬』や『羅生門』を見ていますが、なにか見ることを強制するような印象が、戦前の映画と重なりあって、抵抗感があったことを覚えています。もっと自由に、自分の視点で考えることのできる映画に親近感があったのでしょう。

もっとも私が映画監督の名前をはじめて知ったのは、小津安二郎監督でした。戦前ですが、小学校四年のときに両親とともに、小津安二郎監督の『父ありき』を見たのです。この作品には、父と息子が山あいの渓流で、並んで流し釣りをするシーンがあるのですが、映画のストーリーとあまり関係がないと思われるこの場面が、その親子の釣りをする姿が、延々と描かれている。それから十数年を経て、また父と成人した息子が、ふたたび渓流で同じ動作で流し釣りをする。この映画のストーリーは覚えていなくても、繰り返し流し釣りをする映像だけが、いつまでも記憶から消え去らない。

西澤　監督のエッセイにその場面のこととか、エノケンの孫悟空のポケットからはためくハンカチとか、砂漠にうつる軽飛行機の影などの動く映像についてのとても美しい文章があって、たぶんそれがきっと監督の映画の原点なのだろうと思わされました。

吉田　中学、高校時代にもっとも数多く見た映画はアメリカ映画でしたが、当時ハリウッド・スターであった、イングリット・バークマンやグリア・ガースンの主演する映画よりも、ヒッチコック監督やフランク・キャプラ監督の、戦前の作品のほうが面白く感じましたね。もっとも当時のアメリカは戦後の占領政策として、良妻賢母の物語を奨励してつくらせたそうですから、無理もありません。

フランス映画でも、それは同様でした。戦後の新しいフランス映画では、ジェラール・フィリップ主演の作品が話題でしたが、それよりも傷だらけで雨が降るような戦前のフィルム、ジャン・ルノワールの映画のほうが魅力的だった。ジャン・ギャバンの主演する、マルセル・カルネの映画『霧の波止場』のように、車のシーツの湿った皮の匂いがするような作品は、サルトルの『嘔吐』の描写を思わせたからかもしれません。

しかし私が高校時代に見て、非常にショックを受けるのは、イタリアン・リアリズム映画、それもロベルト・ロッセリーニ監督の『戦火のかなた』でした。これはドキュメンタリー・タッチで描かれていましたが、もちろんフィクションでもあり、作る側が物語ることを拒絶し、見る側の、観客の想像力に委ねることによって、きびしく問いかけてくる作品でした。

西澤　ロッセリーニなどのネオ・リアリズムの映画は、戦後すぐに封切られていたのですか。

吉田　映画の製作は、戦後まもない一九四六年ですが、日本で封切られたのは四九年、私が高校二年生のときだったと思います。現在の帝劇で、ロードショーで公開されたのも見ています。しかし大学に入ってからは、文学に集中するようになったからかもしれませんが、私自身映画をあまり見なくなった。宮川氏と映画の話をした記憶もない。そして私が映画の世界に入るとは、宮川氏には予想外のことだったのでしょう、そのことについて彼はなにも言わなかった。

西澤　監督と宮川さんがお互いのお仕事に関して、お話しなさったことはありますか。

吉田　それぞれが労働に追われ、会う機会もかぎられてしまいましたが、それ以上に撮影所のことを話しても、彼には興味があるとは思えなかった。また宮川氏のほうも、NHKでの仕事の話をなにも私にしなかったのですが、たぶんそれが仮の仕事と彼自身思っていたから、なにも話さない。そのように私のほうも感じていました。

もっとも私のほうは、すでに映画をみずからの仕事、職業とするために、もう後戻りできない状態に、私自身を追い詰めようとしていたのも確かです。それだけ文学と離別する、そうした思い、不安を打ち消すためにも、シナリオを書き、映画評論を書きつづけたのでしょう。おそらく私たちが、それぞれの職業についてなにも語ろうとしなかったのも、文学と決別することによる虚ろさといったものを、相手に悟られたくないという、矜持が働いていていたからかもしれません。

こうした私たちの危険な時期は、幸運なことに早く解消されることになった。宮川氏が卒業論文で扱った、ジャン・バゼーヌの絵画論の翻訳がまもなく出るのですが、何年でしたか。

西澤　最初に、五六年に『みずゑ』に掲載されています。

吉田　私のほうも、非常に恵まれていました。六〇年には監督としてデビューし、安保闘争のさなかでしたが、『ろくでなし』を発表しています。宮川氏の最初の評論集、『鏡・空間・イマージュ』は、何年に刊行されたのでしたか。

西澤　本として刊行されたのは六七年です。その前に「アンフォルメル以後」が六三年に。

吉田　確かに私たちは恵まれていましたが、宮川氏自身も言及しているそうですが、彼は美術評論家になることは不本意だった。そして私自身も映画監督であることが、自分にとってふさわしい職業であったのかどうか、いま現在でも問いつづけている状態です。もっともそうした迷いが、かえって私自身に「映画とはなにか」と、たえず問いかけさせ、それがいまでも映画監督である理由かもしれませんね。

映画監督を志望する人の多くは、自分につくりたい映画があるからでしょう。そうした夢の映画は、幼いころに見た映画、あるいは学生時代に影響を受けたフィルムだったりするのでしょうが、それが私にはなかった。こういう映画をつくりたいという、夢の映画がはじめから欠如していた。このはじめから隠されている映画、×印の付けられたフィルムの、その×印をいかに取り除くか、それが私の映画論の根底にあるのでしょうが、宮川氏の美術評論にも、同様な×印がマークされており、それをいかに消し去るかだったように思われてならない。

彼は詩、あるいは文学批評を志した人でしたから、美術史を介在させずに、美術批評をことば、イデーの対象としてのみ成り立たせようとしたのでしょう。そのためには、私と出会ったころに彼が固執していた、すべてを純粋意識に還元し、その運動として捉えようとする方法論を、六〇年代以後の構造主義によってさらに補完しながら、純粋意識にかわる新たなカノンとしてのシニフィアン、それを美術の領域でも展開しようとした。

もっとも、私はこうした純化するための排除の論理、すべてを最小極限のカノンに置き換えようとする宮川氏のイデーに、死の匂いを感じたのでしょうが、彼自身にしても、どこまで美術批評を続ける意志があったのか、むしろいつか筆を折る可能性があったのではないか。そして彼が希望した、彼自身の早死もまた、排除、縮小の論理によって実現させたのではなかったか。それにしても、かぎりなく多様化する生の世界を、ある一点に収斂させ、表現しようとすれば、それは死ということば以外にはありえない。この自明のことを受け入れる宮川氏の潔さ、それは見事としか言いようがありませんね。

西澤　マラルメ的な。

吉田　なにか究極にある一点、それ以外はすべて、そのヴァリエーションに過ぎないと考え、宮川氏は潔く現実を否定しようとしたのでしょう。私はそのヴァリエーションするエネルギーこそが、生きていることの証しのように思えたのですから、いずれ私たちは離れていかざるを得なかったのでしょう。それをいっそう早めたのが、選んだ職業の違いだった。

その後に宮川氏の書いたものを、そう数多く読んでいるわけではありませんから、私にはそれ以上彼について語る資格があるとは思えません。私が知っていることといえば、短かすぎる大学の四年間に限られてしまう。もちろん、宮川氏のほうも、私の映画を見たとは思えない。二人で『オルフェ』の鏡の話をした記憶があるだけで、さほど彼は映画に関心がなかった。映画はあまりにも夾雑物の多すぎる、まやかしの表現に思えたのでしょう。そうした映画に身を置く私を、彼は想像することはできなかった。

パリでの再会

吉田　こうしていつしか疎遠になってしまったのですが、十数年経って、私たちがふたたび会う機会に恵まれたのが、パリだった。もっとも、私が大学時代同期の、阿部良雄氏と再会したのもパリでしたね。

六九年八月、私は映画『エロス＋虐殺』をアビニョン映画祭に出品するのですが、幸いにも評価されて、十月にはパリのパゴト劇場で一般公開されることになり、二カ月以上パリに滞在することになったのです。そのとき阿部良雄氏も、奥様でもあり詩人でもある、与謝野文子さんとパリにおられ、サン・ミッシェル広場にほど近い、リュ・ド・ラ・アルプにある私のホテルに連絡をされてきた。そしてセーヴル・バビロン近くにあった阿部さんのお宅に幾度か伺い、フランス人文学者や詩人を紹介していただいたのですが、それが大学卒業以来の、阿部氏との交流でした。

その後、七一年九月、ベイルートで開かれたアラブ国際映画祭で、『エロス+虐殺』を上映するために旅行するのですが、その後フランスに行き、十月にフランスのナンシーで開かれた私の回顧上映、ミッテラン大統領時代の文化大臣となるジャック・ラング氏、当時はナンシー大学の法学部助教授でしたが、彼が組織した映画祭に出席、さらに十一月にはパリ・シネマテーク館長、アンリ・ラングロワ氏による回顧上映のために、しばらくパリに滞在したのです。その折り、偶然にも宮川氏もパリに来ており、本当に久しぶりに四週間ほど、毎日のように会う機会に恵まれた。

西澤　宮川さんは九月から十一月にパリに滞在なさっていたようです。

吉田　おそらくベイルートからパリに着いてまもなく、リュ・ド・ラ・アルプの私のホテルに、宮川氏から連絡があったように思います。ベイルートではフランスの詩人、フィリップ・フェラン氏が一緒だったのです、私にフェラン氏を紹介したのが阿部良雄氏夫妻でしたから、宮川氏は東京を発つ前、阿部氏より私がパリで滞在するホテルを教えられたのでしょう。

宮川氏のホテルはオデオン座に近く、ブルヴァール・サン・ミッシェルを歩いておりてきて、私のホテルを毎日のように訪ねてきて、カフェでコーヒーを飲み、食事を一緒にした。当時、私は胃潰瘍と診断され、タバコを止めていましたが、彼は昔のように吸っていました。ただ、文学のことはいっさい話しませんでした。たがいにそれを避けたのでしょう。そして旅行者のように、パリを楽しんでいた。

この秋のパリには、武満徹氏が奥様の浅香さんとともに来ており、シャンゼリゼを降りきった公園にあるピエール・カルダン・エスパスで、武満徹氏の演奏会が開かれるのですが、そのリハーサルのために滞在していたのです。夫妻はシャンゼリゼにあるホテルに宿泊していたのですが、私のいるカルチエ・ラタンが好きだったのでしょう、毎日のように浅香さんと来て、いっしょに食事をしていたのです。そうした折り、宮川氏も何回か同席するのですが、彼と武満氏とが初対面ということもあって、私が二人を紹介したのです。

もちろん二人とも、互いに名前は知っていたのでしょうが、私が武満徹氏に「美術批評家の宮川淳さんです」と紹介すると、宮川氏は即座に「ぼくには肩書きはいらない」と、ひとこと言ったことを鮮明に覚えています。宮川氏らしいシニズム、昔とかわることのない彼が、そこにいましたね。

宮川氏は物静かで、口数も少ない人でしたが、しかし話すことばは冷ややかで、きわめてシニックなものでしたね。そして宮川氏は、私のシネマテークでの回顧上映がはじまる前に、日本に帰国しました。

この年のパリ滞在は、さらに私にとって思い出が多く、シネマテークの館長、ラングロワ氏から、「あなたの回顧上映のために、素晴らしい通訳を見つけましたよ」といって紹介されたのが、蓮實重彦氏でした。蓮實さんは東大より一年の猶予を得て、パリに見えていたのです。

宮川氏には、こうした記憶もあります。彼が帰国する当日に訪ねてきて、梱包されたかなりな量の本を、日本に送ってくれないかと頼まれた。後日郵便局に出しに行くと、この梱包では送れないといわれ、ホテルに持ちかえり、開けてみたのですが、ジャン・スタロバンスキーの"L'œil vivant"を含む多くの著書、そしてエドモン・ジャベスの数冊の詩集があったことを覚えています。すべて文学関係の書籍で、美術関係のものはなかった。

西澤　それはすごく大変な作業ですね。規定の重さに合わせていくつもに分けて荷作りして、場合によっては郵便局員と交渉するという……。

吉田　それは友人でしたから、本を送ること自体は構いませんが、前もって予告もせずに、「これからオルリー空港に行くから、これを送ってほしい」と、相手が断れない状態でいうのが、いかにも宮川氏らしいと思いましたね。

最後の日々

吉田　その後、ふたたび彼と会うのは、七三年の夏、私がテレビの美術番組、「美の美」シリーズの製作をはじめることになった、その時のことです。前年の秋でしたが、私は胃潰瘍の手術を受け、胃の大半を摘出していました。しばらくのあいだ静養するつもりで、美術番組を引き受けたのですが、それが五年も続くことになり、結果的には重労働となってしまいました。

この仕事を始めるときに、宮川氏と会ったのです。なにか彼なりの提案でもあればと思ったからですが、慎重な人ですから、なにも言わなかった。ただ彼がイタリア旅行をしたとき、マントーヴァのパラッツオ・デル・テにある、画家ジュール・ロマーノの描いた壁画を見ることができなかったのが、いまでも心残りだといったのです。そしてもう一つ、フランスの十八世紀末期の建築家ルドゥーが、スイスとの国境に近いフランシュ・コンテ地方のショーの街に構築しようとした、未完成の製塩所も見たいともいいました。

私はそれに応えようとして、「美の美」の一篇として、マントーヴァのゴンザーガ侯爵の館とジュール・ロマーノの壁画を撮影したのです。またルドゥーについては、フランス各地の美術館を撮影する途中、ショーの製塩所と彼がブザンソンに残したオペラ劇場を撮影しました。

そして七七年の春、三月の末だったと思いますが、「美の美」シリーズの作品の編集のために帰国していた私に、阿部良雄氏から電話がありました。パリで宮川氏が倒れ、手術をしたという連絡でした。その後、帰国した宮川氏が小康を得たというので、五月の末だったと思いますが、阿部氏の配慮で私の「美の美」を見る場を、宮川氏のためにもうけたのです。すでにテレビで放映されていました『ブリューゲル』や『カラヴァッジョ』を、試写室で上映したのですが、そのとき宮川氏が見たいといったジュール・ロマーノによるパラッツオ・デル・テの壁画、『巨人族の滅亡』の未完成なラッシュ・フィルムと、そして建築家ルドゥーのショーの製塩所を撮影した、断片的なラッシュ・フィルムを見せたのです。

試写室には阿部良雄氏と建築家の磯崎新氏、奥様の彫刻家、宮脇愛子さんも来ておられたのですが、宮川氏の回復は難しいと思い、誰しもが和やかなひとときを、彼とともに過ごしたいという気持ちで集まったのでしょう。見終わったあと、彼は「ありがとう」とことば少なく語っただけでしたが、それが彼の癖でしたから、私たちの話を宮川氏はいつものように微笑みながら、黙って聞いていた。

そして、七月になってからでしたか、ふたたび阿部良雄氏から電話をいただき、宮川氏が再手術するため入院したことを知りました。私は日大の板橋病院を訪ねるのですが、奥様が付き添っておられた。すでに宮川氏は死期が近いことを思わせるほどの変わりようだった。ほとんど話す気力もないように思えたので、私ひとりが話そうとするのですが、ことばが途切れてしまう。一時間ほど、あまりことばを取り交わすこともなく、時間が過ぎてしまった。

大学のころのことを思い出して、語ろうとすれば、どうしても文学のことになり、気が重くなる。それよりも最後の楽しい思い出となったパリでの再会の話をするのですが、それでも彼は黙って聞いているだけだった。パリのオデオン座近くにあった、宮川氏のホテルの名前を思い出せずに、私が問いたずねると、返事するのが苦しかったのでしょう、黙って病室の窓外を指差した。そこにはベランダが付いていたのですが、私が「ホテル・バルコン」と聞き返すと、彼は頷くだけだった。それからしばらくして、私が帰ろうとする気配を感じたのでしょう、最後にひとこと、「どうして文学に戻らないの?」といったのです。この思いもかけないことばに、私は答えようがなかった。曖昧に微笑を浮かべるしかなかったのです。これが私に残した宮川氏の、最後のことばとなってしまったのですが、彼らしいシニシズムというほかはありません。

そのとき、私は映画監督となってすでに十八年、それを無視するようにして、宮川氏はいまだに私のなかに文学しか期待していなかったのです。もっともこれを宮川氏のシニシズムと受け止めるより、純なる気持ちの表われと理解すべきかもしれません。私に「どうして文学に戻らないの」と問いかけつつ、そのことばは彼自身へのことばでもあったのかもしれない。死期を前にして宮川氏もまた、文学への回帰、その願望を語ろうとしていた、私はいまではそのように思うようにしています。

西澤　もし、監督の映画を宮川さんがごらんになってないとすれば、きっとその最初の小説にたいする思いが強くて、監督の他の小説を読みたかったということでしょうか。

吉田　彼が私の作品を見たとしても、たぶん私への批評は、変わらなかったように思いますね。ご存じのように私の映画は、一作ごとに変貌してゆく。それは刻々と揺らぐ時間、そうした生に見合って、映画を発想するからでしょうが、宮川氏にはそうした生を受け入れる余地はなかった。文学におけるような対立が、ふたたび繰り返えされるだけのような気がする。

西澤　宮川さんはけっして声高におっしゃったりはしないのだけれど、実はそれこそ一言で何か仕事を勧めたり、以前話していたあの仕事はその後どうしましたか、というようなことを、おっしゃることもあるように思いますが。

吉田　物静かに語る話しぶりは、確かに二人に共通していましたが、そのディスクールといったものは対照的でしたね。宮川氏はことば数が極めて少なく、決定的なことしかいわない。それがシニックにも聞こえる。私のほうは語りながら、それを異なったヴァリエーションでふたたび語り、さらに新たなヴァリエーションを無意識に捜そうとする。そのかぎりでは、私は自分を含めて、人間をたえず曖昧に揺らぐものとして捉えようとする。それだけ人間不信の度合いが強かったのかもしれません。

鏡の表裏の友情

小林康夫　ずっと話をうかがっていて、たいへんおもしろかったです。それでコメントというか、聴衆の反応をちょっともうしあげます。

　私はずっとあとから来た世代ですから、あくまでお二人のことを遠くから見て、そして今日のお話をうかがって思うことなんですけれど、お二人のあいだには不思議な鏡像関係のようなものがあるという印象です。強いて言えば、「鏡の中」ではなく、「鏡の表裏」の友人たちというべきかもしれません。

　どちらも文学が出発点ですよね。しかし、最初から、宮川さんは詩を中心にしていたように思われます。確かに三人の小説家を論じるところからはじめているとのことですが、しかしずっと詩に強い思い入れをなさっていた。それに対して、監督は、やはり『嘔吐』ですから、小説から出発なさったのかな、と聞いていました。詩という言葉はあまりでてこなかった。たぶん、宮川さんは本質的には詩の人だったと『鏡・空間・イマージュ』に収められている詩論を思い出しながらも思います。詩人になるという道もあったと思いますね。

しかし、このようにお二人が文学から出発しながら、これも不思議な運命というか、大学を卒業してきたときに、一方はNHKそして美術、他方は松竹つまり映画へと進んで行く。文学と関連はあるが、違った道ですよね。それは、いまから見るときっと、なにかを裏切ったというか、外れた、ということよりは、もっと本来的なものに近づいていくことだったんじゃないかなと思いました。

それは、なにかと言えば、やはりイメージ、いや、イマージュの世界だったと思います。私は、ずっと宮川さんにとっては、「イマージュ」というこのフランス語の言葉が決定的なものだったように思っています。もし宮川さんの思想とか哲学というものがあるとして、それがどういうことかとつきつめて考えると、イマージュの思想に到達する。ご存じのようにフランスは、ベルクソン以降、いや、それ以前から、特異的にイマージュが問題になる文化圏でした。そのなかで、簡単な整理をすると、実は二つのイマージュ論の大きな流れがあって、それは結局、ほとんど同世代ですが、サルトルの流れとブランショの流れだったわけです。明らかに監督ははじめからサルトルの、こう言ってよければ歴史のなかのイマージュの流れに惹かれていく。それは散文というか劇の道でもあります。ところが、宮川さんはおそらくサルトルの方には行かない。いつブランショと出会ったのかよくわからないんですけれど、『文学空間』などが決定的な影響を与えていることが読み取れます。つまり、死と結びついたイマージュですね。そして、詩が問題になる。

こんな単純な対比ですが、しかし、吉田さんが肉体とおっしゃるところで、たぶん宮川さんのほうは肉体がなくなるところに、イマージュを感じているように思われますね。同じ言葉なんですけれど、宮川さんにとっては、イマージュとは、肉体がほとんど消えたときにはじめて現れる何かだという感覚が非常に強くて、だから死と結びつくわけです。こうしたブランショ的なイマージュの考え方は、ポジティヴな歴史からの逃走というか、脱落ですから、当然、サルトルのようなポジティヴな歴史の思想とは相容れない。

その意味では、宮川さんの仕事というのは、やはり『鏡・空間・イマージュ』というあの本を書いたというのが決定的ですよね。もちろん、美術批評家としてのお仕事もあり、それはアンフォルメルから出発して、バシュラール的というか、物質的なイマージュ、さらには物質も失った表面のイマージュを核とした仕事だったと思いますが、しかし美術批評家という仕事に同一化していたわけではなく、いや、美術すらイマージュのひとつの（不）可能性にすぎなかったのだと思います。

こんなふうに語っていると、宮川さんが詩人について論じたなかで引用されている、清岡卓行さんの「ああ、きみに肉体があるとは不思議だ」というあのフレーズなどが一挙に思い出されたりもするのですが、まさに宮川さんの世界は、肉体を失って、イマージュとして、イマージュそのものである「鏡の中」に降りていくという想像力のあり方を追求していた。肉体を捨ててはじめて「鏡の中」に降りていけるわけですよね。

それに対して、監督は「鏡の中には降りていけない」と、この前、おっしゃっていて、それが私には鮮やかにお二人の場所を指し示しているように思えました。確かに、この肉体をもっていたら絶対降りていけないのであって、それが歴史のなかにいるということです。それで「鏡」の「内と外」、「表と裏」——しかし「鏡」を通して、お二人は映し合っているようにも思われました。

ところが、だいたい一九六八年のパリ革命の頃からでしょうか、サルトルの思想が失効します。突然に、それまでの実存的なポジティヴな思想から、非人称的な思想——構造主義もそのひとつでしたが——へと流れがかわります。ある意味では、世界的にというか、サルトル的なポジティヴな歴史の思想から、ブランショ的なイマージュの思想に変わるわけです。

そこで宮川さんの『鏡・空間・イマージュ』が、歴史的に強いインパクトをもってしまった、と思います。これは宮川さんが望んでそうしたというよりは、以前から書いていたその仕事が一冊の本となってまとまると、時代がそれについていったというのか、ある歴史的な断層の徴のひとつとして輝きます。

でも、同時に、その瞬間に、宮川さんは、その先をどうしたらいいのかという問いを考えたと思いますね。ですから一方では、誰よりも早く、構造主義やフーコー、バルト、デリダの思考を、まさに「作家の死」と言われたような、イマージュはあるけれど肉体はない空間を究極的に考えるような思想を、非常に明晰な言葉で翻訳し紹介してくれる人になっていくわけですが、そしてそれに応じて、批評の枠組みそのものも「引用の織物」という方向に組織し直していくわけですけれど、でもその「表面の戯れ」の先にいったい何があるのかという、いや、「ある」という言葉そのものがもう不可能な地点なのか、とか、かなり難しいところに差しかかっていたようにちょっとお見受けしました。本当に鏡の中に入ってしまったら、どうやってその鏡の中から、もう一回こちらに出てこられるのかという問題がどうしても問われると思うんですけれども、宮川さんがそこをどう考えていたのか、私にはよくは見えないなあ、といまになって思うところです。

不在の肉体、肉体の不在

西澤　たぶん小林さんもパリでごらんになっていたと思うのですが、宮川さんが最後にパリに滞在なさっていらした時に持っていらして、折に触れて覚書を書いていらした「緑のノート」というものがありますが、その一部、ある程度読んで理解できる部分が、宮川さんの手書き文字のまま、著作集に採録されています。そのコピーを持ってきました。これは亡くなる年の春に書いていらした部分だと思いますが、此処に“corps”（身体）とか“chair”（肉体）という言葉がでてきます。今、小林さんがおっしゃった、「この先に何があるのか」という時、そうした身体、肉体をあらわす言葉が、不在とか、似姿、似ているもの、鏡像とほのかに関わりを持っていくのではないか、という兆しがこの文の中にあるのではないか、と思っていたのです。で、改めて読んでみて、“ressemblance errante”（さまよう似姿）と“se lier”（親しむこと）、そしてそれとの“intimité”（親密さ）を持つというくだり、それはある意味で死の世界、ブランショ的イマージュと繋がることとも読めるのですが、ほのかな肉体の、それこそイメージのようなものがそこにあったのではないかと、私はちょっと思ったんです。

小林　その一番最後のノートですが、ブランショのレシの書き写しもありましたよね。

いま読み直してないので危うい記憶だけですが、わたしは宮川さんが、イマージュの幸福ということを考えていたように思いますね。イマージュの道をただオルフェウスが降りていくだけでは困るので、その下降そのものが、「至上の愛」とか「最上の幸福」とつながらなくてはならない。確かに、いま西澤さんが言ったことでいえば、そのイマージュはほのかにもう一度肉体のかおりを取り戻すというようなことは、たぶん考えていらしたのかもしれないんですね。幸福というヴェールを通して……。

でも、監督がずっとおっしゃっていた、歴史の中に肉体として存在しているというその場合の肉体は、全然、宮川さんが考えていたイマージュの世界には還元されない、非常に強い思想だと思います。今日、吉田監督のお話をうかがっていて、ああ、やっぱり宮川さんも吉田さんも、非常に強く戦争の影を背負っているなあ、と感じました。その場合、戦争とは、けっして沈黙としてしか現れてこないものですよね。だからまさに発言がないところに、われわれ後世の人間が読み取らなくてはならないものとしてあるとも思いました。しかし、そこでもお二人の経験は違っているのでは、と思います。監督はある意味で

「火」をくぐりぬけて生き延びてきた肉体というものを信じていらっしゃるとも言えるかもしれません。逆に、宮川さんは、戦争を通じて、なにか「不在の肉体」というか、「肉体の不在」のような感覚を非常に強く刻みこまれていたのではないか、などと感じてもいたのです。

吉田　私も高校のころは、詩を書いたり、学園祭では戯曲を書き、それを演出したりしたのですが、あるとき同級生のひとりが、無断で私の詩をNHKに、当時はラジオの時代でしたが、投書したのです。高校生の書いた詩を公募して、放送する番組があったのですが、私の詩が選ばれて放送された。その賞金として百円をもらうのですが、それが私の手にした初めての原稿料でした。

ただ、その詩は私の等身大で書かれており、そこには私の年齢、若さ、肉体といったものを、容易に読み取ることができたでしょう。しかし、宮川氏がノートに書きしるしていた詩は、そうした肉体、実感といったものが、不思議なほど欠如していましたね。

小林　言葉の世界ですね。むしろ肉体を忘れたり、肉体が不在になるために言葉が使われるという、そういう世界だった。

吉田　先ほど小林さんの指摘された、私たちの世代の戦争体験、それで改めて思い出されるのですが、私にも大空襲下、生き延びることのできた自分の肉体にこだわろうとして、『嘔吐』に強く関心を抱くようになったことは、すでにお話しました。しかし、サルトルとの出会いによってすべてが解決したわけではありません。当然のことながら紆余曲折、迷いもあったのです。サルトルがいう「アン・ソワ＝即自」と「プル・ソワ＝対自」、どこまでそのはざまに身を置くことができるのか、そうした危うい綱渡りをどこまで続けることができるのか、そうした不安からを逃れる手立てがあるのか。

ご存じのように、サルトルは明確に「対自」の世界を選び、そして政治化して行くのですが、それに逆行するように私はサルトルから離れて、その批判者としてのメルロ＝ポンティに接近してゆくことになる。メルロ＝ポンティがシルダーの観察から暗示をえて記述しているように、鏡に向かってパイプをふかしていると、それを持つ自分の手に、パイプの温かみが感じられるだけではなく、鏡に映っている虚像としての自分の手にも、温かみを感じるというのです。そうした肉体の不思議な奥行き、メルロ＝ポンティはそれを肉体という生地で仕立てられ、織りあげられている世界と呼ぶのですが、私の戦争体験と深く重なり合っているのは、言うまでもありません。

小林　鏡の像のところに熱さを感じる、というものですね。

吉田　宮川氏が愛し、そしてこだわった純粋意識については、私はサルトルが主張したように、それが意識される以上、その瞬間、もはや即自的なものとして捉えられており、それを乗り越えるべき対自としての自由があると思っていた。それがメルロ＝ポンティのいう、即自と対自のはざまに織り込まれた、私の肉体として捉えなおすことによって、私は開放されたのでしょう。

小林　そういうふうに言われると、確かにまさにメルロ＝ポンティの哲学全体は「両義性の哲学」でしたからね。しかも、『レ・タン・モデルヌ』誌の編集方針、そして政治の思想をめぐって、サルトルと対立し、ある種の人間主義の道を切り開こうとするメルロ＝ポンティの立場は、監督の立場に哲学的には一番近いかもしれませんね。それはよくわかるような気がします。

吉田　私が宮川氏をよく知っているころ、彼が鏡にそれほど関心があると知りませんでしたが、偶然の一致でしょうか、六〇年に私が映画監督としてデビューする作品、『ろくでなし』には、しばしば鏡が使われています。それ以後も私の作品のなかで、鏡をとおした映像が数多く組み込まれ、その鏡のメタファが問題にされるのですが、私自身はそれを無のメタファというほかありません。かぎりなく意味が開かれているのが、映画の映像の宿命であり、また魅力でもあるからです。

小林　イマージュとかイマジネールな（想像的な）ものというのは、あの時代の一つのキーワードでしたね。そこには、いくつかの可能なポジションがあって、本当に強い強度だけで存在する寺山修司的というか、土方巽的というか、そういう肉体から、宮川－ブランショ的な、肉体が完全に消えてイメージや影だけが残っているみたいなものまで、いろんなスペクトルがあると思うんですけれど、シュールレアリスムから実存主義、そして構造主義へと進んで行くあの時代のフランスの文化の光に照らされて、日本の若い創造者たちが、多様な肉体を提示していきますが、そのなかで、反・三島由紀夫的とでも言いたくなってしまいますが、純粋なイマージュとしての肉体という、ある意味ではラディカルな思考を、宮川淳という人が担っていたのでは、と思いました。

吉田　宮川氏の理解の仕方は徹底した排除の論理でしたから、かぎりなく意味が開かれている映画の映像は、その対象にならなかったのでしょう。彼は関心のある対象を、ただちに抽象化し、異常なほどの早さでことばに置き換え、それもアフォリズムのように最小限のことばで語りながら、自分の痕跡をあとかたもなく消し去ろうとする。すでに私が出会った時代の彼の若さで、こうした強い禁欲性を身につけていたのですから、小林さんのおっしゃるように、そこに時代の影、戦争の影があったのでしょう。

小林　監督の場合は、戦争は、まさに肉体を危機にするような非常に巨大なリアリティとしてあって、このリアリティがあまりにも強烈なので、それをいまだに経験しきっていないというか、そんなふうに見えるときがあるのですが、宮川さんのほうは、どのように戦争を経験していたのか、私にはよく分かりません。巨大な不在として生きたのかもしれない、とぼんやり思うだけです。

吉田　彼が幼いころ、戦前のパリでエッフェル塔を見たという記憶にしても、私に話をしてもよいと思うのですが、そうした欲望をみずから禁じた。私自身の戦争の記憶、そのアンビヴァレンツな思いと同様だったのでしょう。

小林　宮川さんには、なにか禁じられたものがありますね。しかし、いや、すごい世代ではあるな。

西澤　思春期の感受性で戦争を体験なさっているんですね。

小林　わたしはいつか、日本の戦後現代文化を論じる仕事をしたいと思っていて、それはまあ、あとから来た世代の使命でもあると思っているのですが、そのとき戦後文化を貫く私にとっての最大のテーマは「都市と肉体と法」なんです。もちろん、それぞれ現実的なもの、想像的なもの、象徴的なものに対応しているのですが、そこでは、イマージュというのは法の不在そのものですから、その意味では、イマージュというのは、逆説的にもっとも法を語ってるともいえるのです。つまり、法がないという状態をいかに生み出すか

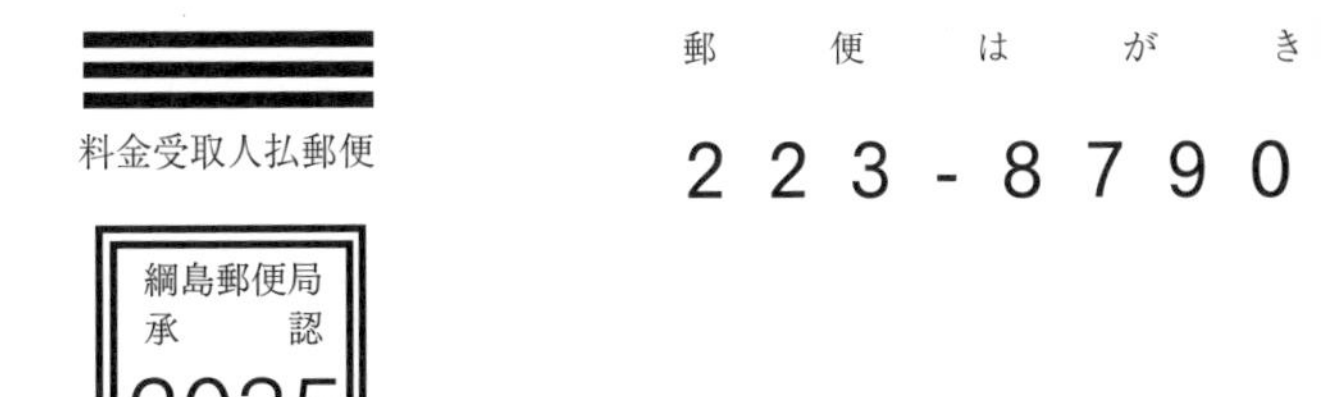

神奈川県横浜市港北区新吉田東
1-77-17

差出有効期間
2022年12月
31日まで
(切手不要)

水声社 行

御氏名(ふりがな)	性別 男・女	年齢 才
御住所(郵便番号)		
御職業	御専攻	
御購読の新聞・雑誌等		
御買上書店名	書店	県 市 区 町

読　者　カ　ー　ド

求めの本のタイトル

求めの動機

新聞・雑誌等の広告をみて（掲載紙誌名　　　　　　　　　　　　　　　　）

書評を読んで（掲載紙誌名　　　　　　　　　　　　　　　　）

書店で実物をみて　　　　　　　　4. 人にすすめられて

ダイレクトメールを読んで　　　　6. その他（　　　　　　　　　　　　）

書についてのご感想（内容、造本等）、編集部へのご意見、ご希望等

文書（ご注文いただく場合のみ、書名と冊数をご記入下さい）

名]	[冊数]
	冊
	冊
	冊
	冊

e-mailで直接ご注文いただく場合は《eigyo-bu@suiseisha.net》へ、
ブッククラブについてのお問い合わせは《comet-bc@suiseisha.net》へ
ご連絡下さい。

ということなんです。肉体ということをめぐって、それがどのように法と関わるかという問題を立てたときに、宮川さんの鏡の中のイマージュの仕事と、吉田監督の映画というイマージュのなかの肉体と法の関係は、本当に鏡像関係にあって、いつかそのような「鏡としてある友情」を論じてみたいなあ、と思っています。まあ、私にそこまでの力量はないかもしれませんが……。

吉田　私の知らない宮川氏、大学の教師としての彼について知りたいと思うのですが、彼は普段と変わることなく、物静かに語っていたのですか。

西澤　私たち学生にたいしても、一言、本質をつくようなことをおっしゃられるので、私もすごく怖い方だという印象があり、なるべく目立たないようにしてるというような感じがあったと思います。それから、宮川さんは教師という役割を一所懸命、誠実に演じようとなさっているんだけれど、やはりそれは本来のご自分ではないということを思っていらしたんだろうなというのが、なんとなくわかる気がしました。ただ、たぶん、監督とご一緒の時もそうだったのだと思いますけれども、パリとか、外国に出た時には、もっとやわらかい、ゆるやかなご自分でいらしたんじゃないかというふうに感じられました。

吉田　文学が私と宮川氏をかぎりなく近づけたとともに、かぎりなく遠ざけもした。いまから思えば、小林さんも言われたように、戦後という時代がそうさせたとしか言いようがありません。

（二〇〇六年八月二十二日、ホテル・ニューオータニ〔紀尾井町〕にて）

小林康夫

【初出】

I　「エピステーメの衝撃——宮川淳から出発して」、シンポジウム「イマージュと権力、あるいはメディアの織物——日仏の眼差し」基調講演、於日仏会館、二〇一九年、五月十八日

II　書き下ろし

III　「Requiem」『エピステーメー』十一月号、朝日出版社、一九七八年

I　エピステーメの衝撃
——宮川淳／ミシェル・フーコー／吉田喜重

半世紀の時間が流れました。

半世紀前、二十歳になろうとしていたわたしは、当然ながら、半世紀後に、自分が生き延びていて、そこから半世紀前を振り返ることが起ころうなどとは夢想だにしていませんでした。いまよりももっと激しく「空間」が渦巻き、揺れ動いていたあの時代、そこにひとつの「断層」というか「断絶」が刻まれ、その知の「断層」をその後半世紀にもわたって、わたし自身が生きようとした、いや、生きたと言えるのかもしれません。そのようなある種の回顧の視点から、この「断層」のひとつの次元が「イマージュ」であったことを振り返り、確認する、そのようなお話しになると思います。

1 宮川淳『鏡・空間・イマージュ』

今回、マチュー・カペルさんからこのコロックでの基調講演を依頼されたときには、一九七〇年頃、つまり二十歳頃のわたしがみずから「師」として選び、師事したとも言うべき宮川淳の著作から出発して、わたし自身がどのようにフランスのいわゆる現代哲学と出会い、それを学び、それを生きようとしたかを、語ろうと思っていました。カペルさん自身が現在、宮川淳の著作を仏語に翻訳中であることもそのときうかがいましたので、わが「師」の思考を、あれほど「師」が愛していたフランス語に翻訳してくださるのなら、「わたしはできることならなんでもいたします」、と申し上げたわけです。

わたしが宮川淳を知り、成城大学の教員であったかれを、わたしが当時大学二年生であった東京大学の自主ゼミの講師として招くほど、「追いかけ」るようにさせたのは、かれが書いた『鏡・空間・イマージュ』という一冊の本でした。この本は、ジャコメッティ、モロー、ブラック、ミロといった美術家やブルトン、ボンヌフォワなどの詩人文学者たちにおける「イマージュ」という次元を鋭角的に論じた評論集で、大雑把に言えば、サルトル的な実存主義の哲学における想像力論、つまり「イメージ」論とはまったく異なる、強いて言えばモーリス・ブランショ的なイマージュ論を軸にしたものでした。それゆえに、この本は、一九六八年以降、パリの「五月革命」を徴候とする、フランスにおける、いや、世界における、実存主義から構造主義／ポスト構造主義への大きな知的転換をいち早く日本に伝える先駆的な役割を果したと思います。

この文脈におけるイマージュ、それは、イメージとは異なって、ただある対象の再現的像ではなく、あくまでもそれを「見る」主体との関係において、その主体を魅惑し、「見ないことが不可能」であるようにし、そして極限的には、その主体の主体性そのものを脅かすものであるわけです。『鏡・空間・イマージュ』の冒頭近くの文を引用するならば、想像力が鏡を夢みるのは決してその表面の反映のためではない。その反映が抗いがたく鏡の底を夢みさせるのだ。そこから鏡のすべての魅惑とすべての危険が同時に生まれる。

すなわち、そこでは主体の主体性が危うくなる。主体は自己を「意味」として自己決定する実存主義的な構成力を失い、ほとんど非人称的ですらあるようなイマジネールな空間のなかに引き寄せられて行く。その究極には、当然ながら、「死」というイマージュでしかない次元が開けて来る。『鏡・空間・イマージュ』が冒頭にこの本を貫く主要動機として、ポール・エリュアールの次のような詩句をもってくるのは必然的でもあったのです。

そして　ぼくはぼくの鏡のなかに降りる
死者がその開かれた墓に降りてゆくように

じつはこの『鏡・空間・イマージュ』という書物に関しては、わたしは、二十年前の一九九九年にセゾン現代美術館主催の公開講座「美術批評の歴史性、そして現在」のなかで語っています（拙著『こころのアポリア』（羽鳥書店）に収録）。そこでは、わたしの思考の出発点であったこの書物を三十年ぶりに読み返しつつ、『鏡・空間・イマージュ』という主要動機だけではなく、もうひとつの第二動機とも言うべき「鳥・焔・愛」というセリーもあったことを発見しているのですが、今回はそちらに踏みこむことはせず、あくまでもイマージュという非人称的な「死」と重ねあわされうるような「空間」、つまり「イマジネールな空間」のプロブレマティックに焦点をあてるなら、その講演でわたしが語った総括は次のようでした。

フランスの現代思想が言語の非人称性を軸にして、反・主体を極限にまで押し進めるという方向を取ったものが多かったせいもあって、その後宮川さんの仕事は、いわば引用の断片をつづれ合わせて、織物のようにテクストを作る（……）という方向に変わっていくと思うのです。(……)シニフィアンの絶対的肯定性という、意味するものの物質的な在り方が、意味よりははるかに優位に立つという原則を、忠実にあるいは過激に自分の実践の中に取り入れていったと思う。その段階から、イマージュ論というよりは、そういうエクリチュールの非人称的な実践という方向にかれの仕事は移っていきます。

すなわち、簡略化して言うなら、「鏡」の場合は、あれほど「表面の輝き」の奥にある「鏡の底」が強調されていたのに、言語においては、むしろシニフィアンという(ある意味では)「表面」的なものが優位に立つ。言語とイマージュとのあいだにある種の「ねじれ」が起こり、それが七〇年代の宮川淳の仕事をとても難しいところに追い込んだのではないか、とわたしは考えているのです。イマージュと言語とのあいだに分裂が走る。あるいは、イマージュについての思考が、袋小路に入ってしまう。つまり「鏡」のなかから出てこれなくなってしまうと言いましょうか。あるいは、「鏡」のなかに降りていったら、そこには「底」などなく、「無底」！、またいくつもの「鏡」の「表面」が戯れているだけ、という事態と言いましょうか。いずれにしても、宮川淳は、——まるで映画のモンタージュのように——「引用」の「織物」を織っていく方向にみずからのエクリチュールを実践するのです。

2　ミシェル・フーコー——「鏡・空間・主体（権力）」

もうひとつ、わたしの知的キャリアというか、いまにまで続く「思考」の出発点となったものがあるとすれば、それは、ミシェル・フーコーです。先ほど、パリを中心として起こった六〇年代から七〇年代にかけての「実存主義から構造主義／ポスト構造主義への大きな知的転換」と言いましたが、それは、日本では、まずなによりも、ミシェル・フーコーとロラン・バルトという二人の新しい「星」によって標識づけられました。二人とも六〇年代の末に相次いで来日しています。そして、バルトの講演には間に合わなかったのですが、フーコーの来日講演は、わたしはまだほとんどフランス語ができない二年生であったにもかかわらず参加し、そして自分でもよくわからない衝撃を受けるのです。実際、来日講演のひとつであった「マネ論」を聴いたことがたぶん、影響したのでしょう、わたし自身も卒業論文の題材にマネからはじまる印象派の絵画をとりあげることになるのです。

このマネ論ですが、実は、『黒と色』というタイトルでミニュイ社から刊行されることになっていながら、結局は放棄され、講演テクストも発表されませんでした。この複雑な経緯にはいまは立ち入る余裕がありませんが、わたし自身は、じつは、このマネ論は、『言葉と物』の冒頭がベラスケスの「ラス・メニーナス」の記述を通して「表象の表象」を提示する文章であったのと同じく、この古典期のエピステーメの分析に続いて、フーコーがさまざまな分散的なテクストを通じて問おうとしていた、われわれのモデルニテの時代のエピステーメの分析を先導する機能を果すものであったと考えています。（ベラスケスの「ラス・メニーナス」ではそのもっとも奥にある「鏡」が問題になっていました。そしてマネにおいても、とりわけその最後期の「フォリー・ベルジェールのバーメイド」においては、背後は全面的に「鏡」であったのです。王宮の一室の鏡からフォリー・ベルジェールの「鏡」への移行です)。

すなわち、これも簡単に言うなら、マネ、フローベール、マラルメなどの仕事を通じて、十九世紀後半のフランス文化に、エピステーメの断層が走っているということ、その不連続線が示すことは、この時代以降、表象は、ただ「なにかの表象」であるのではなく、表象として「存在する」ということだ、というわけです。表象は存在する。言語も存在する。イ、マ、ー、ジ、ュ、と、し、て、存在する。

この問題についてもわたしはすでに二〇〇六年に論じていますので、もうしわけありませんが、細かな論拠は省かせていただいて、一九六三年の論文「言語の無限反復」においてフーコーが書いていた、「死とはおそらく言語にとってもっとも本質的な出来事のひとつなのである。死に向かって、しかも死にあらがって、死を迎え死を掌握するために人が語り始めたその日、何かが生まれた」という文を含む箇所を引用しつつ、わたしが行き着いた結論部分だけをここに引用させていただきます。

フーコー自身が〈仮説〉と言っているこのテーゼの中心にあるのは、なによりひとつの分割、すなわち生と死とを分けるひとつの根源的な分割である。言語は、いわばこの分割を乗り越えることで、この分割そのものを提示する。言語は限界を超えている、つまり「無-限」なのである。それは生死の分割・限界を超えた生、つまり逆に言えば、死にほかならない生なのである。注意しておかなければならないのは、この限界の乗り越えは、単なる延長、つまり限界の消滅なのではなく、限界にもかかわらず、それが〈生起〉するということである。それをフーコーは二重化、分身化という操作概念で説明している——「むしろ、言語がみずからイマージュと化し、鏡の中での二重化により死の限界を乗り越えるその潜在的空間を横断するがゆえに、言語は不在となるのだ」。すなわち、分割とその乗り越えは、まさに〈鏡〉をその至上の範例として考えられているのだ。

（拙論「分割線上のフーコー(2)」、ちくま学芸文庫『フーコー・コレクション2』解説）

「鏡」です。フーコーもまた、「言語」に即して、「鏡・空間・イマージュ」を論じているのです。

この「鏡」は、メタファーです。しかし、それは明らかにメタファー以上のものです。だから、その論では、続けて、わたし自身次のように言っています。

> いや、それは確かにメタファーなのだとしても、しかしあらゆる表象の可能性の手前にあって、それを人間の存在に、ということはその生死に結びつけているような根源的なメタファー、事後的に、メタファーにおいてしか言及することができないような〈始原的な折り返し〉の関係のことなのだ。言い換えればまず始めに「鏡」があるのだ。そこから言語が、イマージュが、つまり表象が由来する原初的分割としての「鏡」があるのだ。

「はじめに鏡ありき」――なかなか激しい断言です。いずれしても、こうして「イマージュの存在論」とも言うべき根源的なプロブレマティックに、六〇年代末、日仏のあいだで、つまり宮川淳―ミシェル・フーコーという軸線を通して、わたしは――当時二十歳前後だったわたし自身が自覚していたかどうかは定かではないのですが――(事後的には)遭遇していたのだとここでは言ってしまいます。

しかし、問題は、これはひとつの極限的断言であって、ここから先にはどこへも行けない。つまり、「はじめに鏡ありき」とは、まさにそれこそが「鏡の底」だということなのです。

すでに宮川淳については、このデッド・ロックから転回するように、「引用の織物」のエクリチュールの方へと実践の方向転換を行うことを指摘しました。

フーコーのほうは、すでに述べたようにマネ論の延長で考えられていた『黒と色』の計画は放棄され、『知の考古学』を契機にして、より政治的な問いが前面に出てくる方向へとその哲学的思考は転回して行きます。わたし自身は、この転回をうながしたのは、一九六七年に雑誌『エスプリ』が構造主義の特集号を組んだときに、編集長のジャン＝マリー・ドムナックが発した質問――「非連続性と拘束の思考から出発してどのように政治的な介入が可能か」であったと考えています。フーコーは驚くべき知的誠実さでこの問いを受けとめた。そして、実存主義という主体の自己決定的な意味構築に対して、構造主義的な非人称的な歴史の構造的転換に対して、はたしてそれでも一個の主体として、いかなる政治的介入が可能かを、思考し、実践するようになるのです。

（あくまで本論の余白での言明ですが、わたし自身は、この問いは、高度に情報化された現代のグローバル資本主義の体制においても、より一層の先鋭さをもって提起される、この問いはいまだに有効であり、緊急であるという感覚をもっています）。

いずれにしても、七〇年代のフーコーは、政治的な問いを生き、実践するようになります。そして、一九七八年四月に二回目の来日をし、ほぼ一月日本に滞在します。いくつもの講演会があったなかで、年譜の記述には入っていないのですが、かれのコレージュ・ド・フランセのセミナーから出発してつくられた映画『ピエール・リヴィエール』の上映会がアテネ・フランセで行われて、そのあとにかれ自身が登場して短い時間でしたが、質疑応答が行われました。そのとき、わたし自身は、いまとなっては内容ははっきりと思い出せませんが、あらかじめ準備していた「権力と空間」についての質問をかれにしたことを思い出します。つまり、「鏡・空間・イマージュ」から「主体・空間・権力」へ、です。想像力の空間から現実的な政治の空間、統治の空間への転回。「イマージュ」から「権力」へ。「イマージュ・空間・権力」――そのように「空間」、この「間」、それこそが問われることになるのです。

『ピエール・リヴィエール』は、フーコー自身がつくった映画ではありませんが、しかしそれだからこそ、いっそう六〇年代へのひとつの回答の試みであるように思えてきます。なぜなら映画こそ、まさに「空間・イマージュ」だからです。それは、モンタージュによって織りなされた「イマージュの織物」の空間なのです。

3　吉田喜重――イマージュ・空間・権力

となれば、

（はじめは、その後にわたし自身は、宮川淳が紹介したジャック・デリダの哲学に魅惑され、また、雑誌『エピステーメー』でジャン＝フランソワ・リオタールの翻訳を行ったことを契機にして、七八年から三年に及ぶフランス留学のあいだにこの二人にパーソナルに接近し、迎え入れられ、ついには二人にわたしの第三課程博士論文の審査員をお願いすることになった展開を語ろうと考えていたのですが、そのあまりにも個人的な語りはここで捨てて、別の方向に転換いたします）。

わたしとしては、このシンポジウムの主要テーマが「映像」であり、「権力」であるとすれば、これまでエスキスしてきた「イマージュ」とその臨界の分割線を、やはり映画そのものへと延長したい。そして、ひとりの日本のシネアスト、しかも宮川淳の東京大学

（文学部）の同級生で親友でもあった吉田喜重の『エロス＋虐殺』に、少しだけでも触れておきたいと思うのです。

というのも、もし宮川淳が、実存主義を超える構造主義／ポスト構造主義の理論的な問題提起にいちはやく反応して、それを日本へと紹介したとするならば、吉田喜重のほうは、その映画によって、日本からフランスへと同時代的に応答していたと思われるからです。

すなわち、この映画は、まず一九六九年八月にフランスのアヴィニョン映画祭で上映されます。これが、上映時間三時間四十六分のオリジナル・ヴァージョンです。そしてそれを三時間五分に縮めた海外ヴァージョンが同年十月にパリで一般公開されるのです。パリのほうが早い。しかも、日本での公開は翌七〇年三月ですが、この公開版は、さらに短縮されて二時間四十五分となっている。しかも、現在、われわれが手に取ることができるDVDの吉田喜重全集には、日本公開ヴァージョンに加えて、オリジナル・ヴァージョンの不完全な再現（一九巻のフィルムのうち第七巻の大半が欠損という理由による）である三時間三十六分の「ロング・ヴァージョン」が収められていて、長さが異なる合計四つの異なるヴァージョンがあるのですが、完全なオリジナル・ヴァージョンはついに日本では公開されなかった幻の作品なのです。

じつは、吉田喜重のこの映画についても、わたしはすでに、一九七〇年から一九九五年にかけての（わたしが生きた）日本文化を、――「オペラ」仕立てで――再確認する現在進行中の仕事（『日常非常、迷宮の時代 1970-1995――オペラ戦後文化論2』、未来社）のなかで「一幕」をあてて論じています。三年前、二〇一七年のテクストなのですが、またしてもそこから引用させていただきます。

たとえば、まずは、まっすぐに奥行き方向へと続く通路。地下道でも、あるいはホテルの廊下でも、日本家屋のなかでも、さらにはコンクリート剥き出しの溝、いろいろあるのだが、装飾のない、ときにはほとんど廃墟のような無機的な通路の奥からこちらへ、あるいはこちらから奥へ、人が、ひとりあるいは数人、だが誰もが孤独に、ほとんど機械的に、歩いて来る。眼差しはそれを待ち受け、あるいはそこに向かって進んで行く。

ついで、水平方向。画面を水平に横断する線。それは、手前にあるテーブルや梁のような室内の構造物のせいか、建物、壁、駅のホームのような屋外の構造物のせいか、あるいは自然の土手でもよいのだが、その水平の上を、その線に沿って人が歩いていく。いや、人だけではない、轟音をたてて電車が通ったりもする。眼差しはそれを少し見上げるように見る。

あるいは、たとえば最初の通路には――まさにホテルの廊下のように――いくつもの扉が並んでいて、扉が開いたり、しまったり、そのたびごとに人が出入りする。あるいは、なにも起らない。

あるいは、一面視界を覆う壁の窓、障子、シャッターが開いたり、閉まったり。いや、具体的な構築物の「開口部」ばかりではなく、なにもない壁の上に、たとえばフィルムが投射されれば、それがまたもうひとつの「開口部」。スクリーンの上のスクリーン。そして、もしこの「スクリーンの上のスクリーン」の上のスクリーンは何か、と問われるなら、それは、それを見ている「あなたの眼差し」、と答えればいいかもしれない。(と、ここで「衝撃」の効果音が響くと想像してくれてもいいのだが……)

女の声　全部私には関係ないことです。母のことを仰言ってるのでしたら、母はいません。母の母のことを仰言ってるのでしたら、母の母はいません。母の母の母のことを……

彼女は顔を覆っていた両手を、ゆっくりとはなしていく。

女の声　仰言ってるのでしたら、それは、あなた……

そして、タイトルが浮かびあがる——『エロス＋虐殺』。吉田喜重監督の映画作品。

「スクリーン」あるいは「開口部」——それは、また「鏡」の別名ではないでしょうか。

「映画を見る」とは、まさに「鏡」のなかに下りていくことなのではないでしょうか。

いま、わたしが引用したのは、拙論の冒頭部なのですが、そこでわたしが強調しようとしているのは、吉田喜重の映画が、なによりも「空間」の映画であるということです。それぞれのイマージュは、映画のストーリーの一場面でありながら、しかしそれにとどまらない、いくつもの（予想外の）扉、通路、入り口、さらにはそこを横切っていく運動体……などによって、迷宮的に、構成されているということ（なお、ここでは密かに、『エロス＋虐殺』だけではなく、それをさらに過激化し、結晶化させているとも言うべき七〇年の『煉獄エロイカ』も参照されています）。拙論では、わたしはこのことを「空間のレトリック」と名づけています。

しかし同時に、忘れてはならないのは、宮川淳の場合とは異なって、吉田喜重においては、この複雑な空間を横切っていくものとしての「肉体」がある、ということです。

しかも、この「空間のレトリック」は、ただ映画の一場面の空間構造にとどまるのではなく、じつは、映画の「物語」そのものをディコンストラクトしているのです。

どういうことか？

ふたたび拙論から引用します。

核となる物語は、一九一六年、アナーキスト大杉栄が「自由恋愛」の思想がもたらす三人の女性との関係のもつれから、神近市子によって刺されるいわゆる「日蔭茶屋事件」、そしてその七年後、関東大震災というカタストロフィーのさなか、大杉が、その三人の女性のひとりであった伊藤野枝と、そして甥の六歳の子ども橘宗一とともに、日本軍によって密かに虐殺されるいわゆる「甘粕事件」。

だが、同時に、この映画は、五十三年前の過去の物語を、一九六九年という制作年の現在時において語るという「物語の物語」の構造を明確にしている。すなわち、六九年に二十歳である束帯永子という女子大生と彼女の愛人であるコマーシャル・フィルムのディレクターの畝間満、そしてニヒリズムを抱え込んだ性的不能の若者・和田究というトリオが、ホテル・オリエンタル、撮影スタジオ、さらには当時、開発が進んでいた新宿西口の副都心造成地などで、ほとんどドキュメンタリー映画の「ゲーム」と化した「問い」のプレイを繰り広げるのである。大正の劇には、もちろん、大杉栄の妻であった堀保子、伊藤野枝の夫であった辻潤、同志の堺利彦や荒谷来村なども登場するし、現代のゲームには、刑事の目代真実二や永子の友人の打呂井恵などもバイ・プレーヤーとして現れるのだが、この映画の核心的な問いは、あくまでも、もし大杉栄が主張していたように、「エロス」(自由恋愛)——それは「肉体」と別なものではないだろう——が権力構造からの脱出路になりうるとすれば、大杉–野枝–逸子(作品内では、「市子」ではなく、この名が与えられている)が展開したエロスの「劇」が、一九六九年の「現在」において、どのように可能なのか、可能でないのかを、歴史的現実を超えて、「問う」ことにあったと思われる。映画にこの「問い」を問わせること。映画だからこそ、歴史的現実をただ再現するのではなく、その時空的展開を多重化し、——現代物理学が暗示するような——パラレル・ワールドを提示することができる。映画こそが、「歴史」という「箱」にいくつもの異なる「開口部」をあけることができる。夢あるいはファンタジーとしての「開口部」を貫通させることができる、とこの作品で吉田喜重は主張しているかのようなのだ。

実際、この映画は、その到達点において、「日蔭茶屋事件」に三つの異なったヴァージョンを提示している。

まず、現実に従って「逸子が大杉を刺す」ヴァージョン。しかし、これも、迷宮のような日本家屋のなかで、喉を傷つけられた大杉が刺した逸子を追う、美しい夢幻的な乱舞のシーンに変容されている。それに続く第二ヴァージョンは、タイル張りの風呂場で「刺せない逸子に変わって大杉自身がみずからを刺す」イメージであり、最後の第三ヴァージョンは、逸子と大杉が争う場面に突然、そこにはいなかったはずの野枝が現れ、畳敷きの廊下で「野枝が大杉を刺す」ヴァージョンである。つまり、「歴史」の「日蔭」であるような「日蔭茶屋」という場所(トポス)が、ここでは、異なった想像が入り乱れるファンタジーの迷宮と化しているのだ。いくつもの部屋が隣りあい、通路が交差し、そして不意に、つぎつぎとその障子や襖や戸が倒れていく。そして、まるで回転扉のようなこの時空構造体のなかを、刺そうとして刺しきれなかった逸子、刺された大杉栄、そして逸子にかわって、逸子を超えて大杉を刺す野枝が追い、追われるのだ。

野枝　殺される……？　でもその前に私はその相手を、殺しているでしょうね、きっと私はそうしてしまう女だわ。

野枝は短刀を拾っていた。

大杉　野枝を殺させる者は……私だ、それを知っているのか。

野枝　（きっぱり）知っています。

野枝は短刀を握りしめる。その刃に唇を押しあててみる。その冷たい感触を感じた瞬間、野枝の全身をひとつの戦慄が激しく刺し貫いた。それは、絶望と虚しさの入り混じった感情であった。それは全く不意に、野枝の心の奥深い彼方より突然醒め息もつかせぬ勢いで一挙に全身に溢れ出、彼女を内側から圧倒せんとした。瞬間、野枝はうろたえ、息をつめ、それにたえようとする。

野枝は目まいを感じ、ふらついたように思った。

その時、逸子が叫んだ。

逸子　怕いのね、あなたも、殺されると知って怕くなったのね、ただの女だったのね。

野枝は激しく首を振るといった。

野枝　違うわ！　もう私たち三人のゲームはお終まい！　終ったのよ！　大杉は生きているわ、あなたが刺せなかった時、逸子さんが刺すことができなかった時、私がどうしたらいいか、私は知ってしまったのよ！　私は……未来をみてしまったんだわ！

野枝の手で、短刀がひらめく。

逸子は野枝をとどめようとする。

逸子　大杉は死んでいるのよ、死んだ者を刺すことはできないわ！

野枝　（激しく否定する）いいえッ、あなたがこの短刀に賭けることで突き抜けようとし、それがあなたはできなかったこと……それが私にはできた！

野枝の短刀は大杉の顎を見事に刺し貫いていた。

野枝　……それだけのことだった……

迸る血。

大杉は、ゆっくりと倒れおちた。

大杉が呟く。

大杉　これこれ、あるべき結末だ……

引用はシナリオに依拠しているが、実際の映像作品では、野枝の「（きっぱり）知っています」」の科白の直後、露出過剰の真っ白な空間のなかに畳に突き刺さった短刀のイメージが挿入されている。ある意味では、これがこの映画のひとつの焦点。映像の修辞学の観点からすれば、劇（ドラマ）の「問い」は、究極的には、誰が、このあからさまにファロス中心的な「短刀」というシンボルを引き受け、それが必然的に内包している「死」を成就させるのか、ということになる。そして、逸子が、女としての嫉妬故に失敗したその行為を、みずからも「死」に随伴するという覚悟の下で、執行するのが伊藤野枝であったかもしれない、と映画は言うのだ。それは、何を意味しているのか。現実には、「日蔭茶屋事件」で大杉は生き延びる。生き延びて、七年後、権力によって虐殺される。「エロス」プラス「虐殺」である。だが、映画は、これを反転して、「虐殺」プラス（マイナスでもいいのだが）「エロス」、にすると言ってみようか。というのも、この映画のすべては、「虐殺」のあとから、すべてが終ってしまったところから、はじまっているからである。

こうして吉田喜重は『エロス＋虐殺』において、「エロス・イマージュ・虐殺」あるいは、「鏡（映画）・空間・権力」、あるいはいっそ本コロックのタイトルに寄せて、「イマージュ・空間・権力」を映画的に書いたのだと言ってもいいかもしれません。あるいは、デリダ的に言い換えるなら、かれはイマージュによって現実の「権力」をディコンストラクトすると言うこともできるでしょう。このエクリチュールを、吉田喜重自身は、当時、「見ることのアナーキズム」と言っていました。日本公開の直後に書かれた同題のエッセイのなかで吉田は、次のように言っていました――

いま私は終りのない、変身の一季節がまぢかに来ていることを感じている。見ることがなんの保証にもなりえない、その苛酷なアナーキズムをそのまま引き受けようとする視線にようやく立ちいたれたようだ。

映画『エロス＋（プラス）虐殺』における大杉栄が死に至るのも、現実には当時の国家権力による加害であったにせよ、彼自身がその妻伊藤野枝によって刺されて死んだという空想の結末をどうしても必要としたのは、革命のイメージを自己否定の窮極にとらえたいという私のとどめがたい視線の果てであり、さらに言葉を加えれば、私自身を自己否定しようとしたからにほかならないだろう。

ここでは、「自己否定」という六〇年代後半、パリの五月革命に匹敵するような大学闘争のなかでキーワードとして登場した言葉が使われています。それは、権力批判する主体がまずみずからを批判的に「自己否定」するべきだという論理ですが、それは、自己による自己の否定という実存主義的な「対自構造」のひとつの究極を示しています。吉田喜重は、ある意味では、ここで映画による映画の「自己否定」、それを権力に「虐殺」された個人のイマージュ的な「救済」のドラマに重ね合わせる形で、映画という「見ること」の強制装置の自己解体を目指していたと思われます。

しかし、それは同時に、映画がそこでDead Endにぶつかるということをまた意味していました。実際、『エロス+虐殺』の「空間のレトリック」をさらに発展させたとも言うべき『煉獄エロイカ』（七〇年）の最終のシーンでは、行き止りの駅のホームの先に高々とDead Endという標識が掲げられなければならなかったのです。そして、その後、――ここでも「権力」が問題となっていたのだが――七三年の北一輝を題材とする映画『戒厳令』を最後にして、吉田喜重は、一九八六年の『人間の約束』まで、少なくとも映画監督としては長い沈黙へと突入する。

こうしてわたしは、駆け足で、一九七〇年前後、日本とフランスのあいだで、いわば再現的表象としてのイメージではなく、そこで主体が主体としての「権力」を失うイマージュという「鏡の空間」のなかに降りて行こうとした試みを、三つマークしました。そして、それぞれの試みが、「鏡の底」に到ることで、ある種の臨界点に行き着いてしまったことを見てきたつもりです。この文字通りDead Endからの再出発の試みは、各人各様にきわめて苦しいものがあったと思いますが、それを論じる余裕はもうありません。しかし、たとえ性急すぎる展望ではあるとはいえ、わたし自身の個人的な整理によれば、

（1）宮川淳は、「引用の織物」というエクリチュールの実践の方へ
（2）ミシェル・フーコーは、紆余曲折がありますが、最終的には、「自己のテクノロジー」と呼ばれるようなある種の自己規律の方へ
（3）そして吉田喜重は、メキシコという「周縁」から映画を再構築しようと試みながら果せず、しかし『メヒコ　歓ばしき隠喩』を書いて、山口昌男が七〇年代に説いた「道化（アルレッキーノ）的」態度へと転回する（しかし、この「鏡」のプロブレマティックは潜在的に残り続け、ついには、二〇〇二年の『鏡の女たち』で、いわば『エロス＋虐殺』の完結篇を制作することになる）

ということになりましょう。

かつて（二〇〇六年）雑誌『水声通信』宮川淳特集号が組まれたときに、わたしは西澤栄美子さんがなさった吉田喜重氏へのインタビューに立ち会ったことがありました。その

最後で、わたしは次のように述べました。

わたしはいつか、日本の戦後現代文化を論じる仕事をしたいと思っていて、そのときの最大のテーマは「都市・肉体・法」なのです。もちろん、それぞれ現実的なもの、想像的なもの、象徴的なものというラカン的区分に対応しているのですが、そこでは、イマージュは法の不在そのものです。そしてそれだからこそ、逆説的に、もっとも法を語っているとも言えるのです。つまり、法がないという状態をいかに生み出すかということ。肉体、つまりイマージュをめぐって、それがどのように法と関わるかという問題を立てたときに、宮川さんの鏡の中のイマージュの仕事と、吉田監督の映画というイマージュのなかの肉体と法の関係は、ほんとうにそれ自体が鏡像関係にあって、いつかそのような「鏡としてある友情」を論じてみたいなあ、と思っています。

いずれにせよ、空間が問題なのです。

空間は、ただアプリオリな三次元の形式なのではなく、それ自体がイマージュ的なものです。それは、いくつもの多元的なディフェランスのカオス的「非全体」です。そして、われわれの感覚とは、まさにそのような多元的多重的、つまり迷宮のような複雑系をなしています。いま、表面的なあまりに表面的なイメージが氾濫し、それがわれわれを呑み込みつつある時代、イマージュの根源的な、かつ非根源的多元性を取り戻すことは、われわれの未来の知=アートにとってきわめて重要だと思います。わたしが今日、ここで触れたのは半世紀も前の「イマージュ」についてのさまざまな試みでした。しかし、この「鏡の空間」の危険な魅惑を、いまこそ、もう一度、思い返し、取り戻さなくてはいけないのかもしれません。

では、最後に、わたし自身は、この「イマージュ」というプロブレマティックをどう理解したのか。わたしは、八〇年代、まさに宮川淳の「引用の織物」のスタイルの延長に「断片の思考」を実践することになります。引用と自分の思考の文章とを、かすかに見分けがつくだけの、つまりほとんど見分けがつかないいくつもの断片を並べた織物のエクリチュールです。それを通して、「思考という災厄」を演じ、まさにイマージュを思考しようとしました。

文字通り「イマージュの空間」（一九八六年）と題されたそのエクリチュール（拙著『不可能なものへの権利』、書肆風の薔薇／水声社、一九八九年所収）においては、わたしは「イマージュ」のプロブレマティックを、デリダが論じたニコラ・アブラハム／マリア・トロックの「クリプト」概念と接合して、次のように書きました。これが、ある意味では、わたしにとっての、七〇年代「イマージュ」論のひとつの帰結であったように思われます。

イマージュはわれわれに解読できない秘密の、もっとも秘密でもっとも外在的な暴力の痕跡である。そしてまた、クリプトはわれわれの内部にあって完全に閉ざされ、保持されている閉域である。だが、にもかかわらず、クリプトは、けっしてそれそのものとしてではないが、しかしある遠い迂路によって、みずからを告知し、そしてイマージュは——物語と言うべきか詩と言うべきか——テクストを、すなわちエクリチュールを要請しないわけではない。クリプトはその空虚によって表皮を支え、イマージュはその限りない謎の故に表面を、一切の深さを欠落させた表面を求めている。イマージュは書かれるべきなのだ。詩として、あるいは物語として、いや、とりわけ物語として。なぜならばイマージュは時間の限りない死であり、歴史の裂け目であるからだ。イマージュというこの死の痕跡は、言語を、言語化を求めている。いや、それどころか言語という「露天のクリプト」crypte à ciel ouvert なしでは、イマージュそのものが不可能となるだろう。

II　L'inattente, l'inoubliе（待つことなく、忘れることなく）
——四十四年後の余白に

これが最後だ。二度とわが師・宮川淳について書くことはないだろう。

*

二〇一九年五月東京日仏会館のシンポジウム「イマージュと権力」でわたしが行った基調講演「エピステーメの衝撃」のテクストが、本書『宮川淳とともに』に採録されることになった。それは——まさに宮川淳的でもあるのだが——いくつもの引用から成る「引用の織物」を通して、一九七〇年代前半の日本の知の風景を駆け抜けた竜巻のごとき「イマージュの衝撃」についていてひとつの証言をもたらそうとするものであった。宮川淳は、その「引用の星座」の一角を占めてはいるが、わたしはかならずしも宮川淳について語ったわけではない。そこでは、わたしは宮川淳とともにいたわけではない。かれについては——二十世紀の「終りに」と言わせてもらおうか——一九九九年九月のセゾン現代美術館主催の公開講座でかなり長い講演を行う機会を得て、わたしの思いをほとんどすべて語り尽くしたと思っている。

それから二十二年。宮川淳の死が一九七七年十月であったことを思い出すなら、まるで白紙の頁が折り返されてぴったりその刻、つまり宮川淳とともにいた時間が終った刻へと送り返されたかのよう。であれば、この回帰の刻(いま)にあって、わたしとしては、いかなるパロール(ことば)も発することなく、「エピステーメの衝撃」のテクストだけを放り出して終ることはできない。

しかし、なにひとつ語るべきことはない。言わなければならないことはなにもない。語るべき思い出はない。語るべき物語（レシ）はない。だから、出来事はない。「レシがそれへの接近である出来事」はない。

＊

あなたは書いていた――「つねにこれから来るべきものであり、つねにすでに過ぎ去ったものであり、はっと息を呑ませるほどの突然のはじまりの中でつねに現前し、しかも回帰と永遠の再開としてくりひろげられる――このようなものが、レシがそれへの接近である出来事なのだ」と。

あるいは、その同じテクスト（「顔と声の主題による引用の織物」）の末尾であなたは書いている――「ひとつにならないパロールとは《わたし》によって一度いわれたことがもう一度《他者》によってくり返され、こうしてその本質的な「差異」にかえされる場であるような唯一のパロールであろう。したがってこの種の対話を特徴づけるものは、それが単に二つの《わたし》、二人の第一人称の人間のあいだのパロールの交換であるにとどまらず、そこにおいて「他」がその唯一のプレザンスの中で語ることなのだ、はてしなく、力をもたないパロール、そこにおいて、忘却の留綱のもとに、思考の無限性が賭けられる」(原文は「パロル」と表記されているが、「パロール」に統一させてもらった)。

*

奇妙な論理である。いや、それはきっと論理の彼方、あるいは論理のはるか手前であったにちがいない。なにしろ、「つねにこれから来るべきもの」であり、「つねにすでに過ぎ去ったもの」であり、「はじまりの中でつねに現前するもの」であり、しかも「回帰と永遠の再開としてくりひろげられるもの」なのだから。いったいそこで、なにが問題になっていたのか？　長い空白の時間、もはや「余白」ということすら難しい時間を経て、もしわたしがそう問うとしたら、あなたはなんと答えるだろうか？

あなたは、「そこにおいて『他』がその唯一のプレザンスの中で語ること」と言うだろうか。そうかもしれない。そうでないかもしれない。

いずれにしても、わたしが、ここで、この刻（いま）においてマークするのは、その奇妙な、はてしなく奇妙な、「他」と化した「唯一のプレザンス」以外ではありえない。

Présence（現存）——だが、それは、あなたにとっては、より正確にはモーリス・ブランショのレシ『期待、忘却』L'attente, l'oublie を読む、いや、そのテクストの「間」を彷徨いながら引用するあなたにとっては、充溢した「あなた」の「現（いま）」の拡がりではなかった。プレザンスの唯一性は「あなた」に帰属するのではなく、「あなたではないもの」に、その「他」に、誰とも知らず、しかし「あなた」ではない、はたして「人間」であるのかどうかも確かではない、その意味では「他者」とすら呼ぶことのできない「他」、たえずはてしなく更新される「ずれ（差異）」でしかないような「他」、その顔なき「他」のパロール（ことば）がそれでもなお、響くということ。

あなたはブランショのそのレシにみずからを溶け込ませるようにしながら、次のようなパロール（ことば）を、書いて（＝引用して）いた、——《わたしはもうあなたのそばのわたしのプレザンスにたえられないわ》——《彼女（プレザンス）はぼくのそばにはいない。彼女はだれかのそばにいるというそんなやり方を受け入れないだろうよ》——《でも彼女（プレザンス）はやっぱりそこにいるわ》彼女はそこにいた。

プレザンスはやっぱりそこにいる。まるで、つねにこれから来るべきものであり、つねにすでに過ぎ去ったものであるものとして。あらゆる「意味」を欠いたものとして。影のように。しかし光のように。沈黙のように。しかし声のように。無のように。しかしかすかに愛であるかのように。

そう、プレザンスの遠い、もう見えないくらい遠い彼方の地平に、——それがなにであるかは誰も知らず——「愛」としか呼ぶことのできない淡い微光が拡がっているのかもしれなかった。

III　Requiem

わたしたちはもう同じ光の中で見合っていない、
わたしたちはもう同じ眼、同じ手をもっていない。
——イヴ・ボンヌフォア

——誰にレクイエムがうたえよう。ぼくたちの言葉には強さが欠けている。秘やかに、しかし確実に降りてくるものに抗う強さがぼくたちには欠けている。そして降りてくる夜、その透明な距たりを覆い尽すなにものも、また。氷のような沈黙、その昏い光を打ち砕くなにものも、また。……名付けようのない怖れのなかで、それでもわたしは語ることを選ぶだろう。もうひとつの沈黙のために。決して辿り着けない希望のために。それをあなたは許すだろうか。あなた、と呼びかけることをあなたは許すだろうか。そうしなければならないのは、わたしたちが遮断されているからだ。わたしの声はあなたに届かない。けれども、あなた、という言葉のなかにあなたのいる場所が遠い記憶の背景のように浮び上る。この呼びかけの途方もないむごたらしい余白が一瞬わたしたちを触れ合わせる。そのようなプレザンスの白夜に向けて。わたしはわたしの悲しみを解き放つ。

――外は夕暮れが落ちていた。あなたは眠っているのではなかった。そんなにも眼を開いて、あなたはそこにいるのだった。あなたに訪れたものを、そんなにも優しい眼差しで、やっぱりあなたは見ているのだったか。語ることもなく、囁くこともなく、それでもひとは何時までも見続けるのだろうか。動かない眼差し、動かないプロフィール。その小さな病室でわたしは盲ることしかできはしなかった。同じように目を見開いて。生ける者の眼差しの残酷さに網膜を焼きながら。石のような眼差し。夜の底での果しない出会い。そうして、わたしはいなかった。あなただけがそこに静かに横たわっているのであった。

――鐘は聴こえない。歌は聴こえない。この遠過ぎる場所、音のない川原にもう水は流れない。もう渡ってくる言葉はない。水よ。その川床に、まだ薄っすらと湿り気を帯びて、幾つもの痕跡が、わたしの知らない幾つもの傷跡が微笑むように浮かんでいる。それは、あなたの顔だ。あなたがもう決して見ることのないあなたの顔だ。そうしてあなたは、一枚の鏡のように、仮借なく外部へと晒される。数多くの生ける者たちの日々うつろう光と苦悩のなかで、ゆるやかに洗われ、晒されて、少しずつ透明になる。少しずつ沈んで遠去かる。その時間のなかで、あなたは、ああ、なんと孤りであることか。水よ。理由もなく、突然に堰止められたあなたの水。だが、その水が、いま、ぼくたちの水として迸り、そして溢れる。どこまでも溢れる。この生の悲しみ。見えない水よ。――そのときだ、眼を失なったわたしは、あなたの水によって洗われたわたしの生の乏しさに、遠く、裸の足指で触れるだろう。

――水が記憶を搬ぶ。眼が戻ってくる。幾つかのイマージュの断片がわたしの視界を斜めに横切る。だが、いくらその風景を積み重ねても、あなたのプレザンスに行き着かない。

こんなにもはっきりと見えているのに、あなたの眼、あなたの手を、わたしはもう想い出せない。あなたはあなたが不在であるところにいるのであるか。わたしの記憶はあなたの不在に向かい、そして、わたしの眼差しはマロニエの鮮やかな緑に包まれる。一九七七年、パリ。あなたが、あなたが愛した街を、傷ついた鳥のように、ゆっくりと飛び立った日。急にはじまった春に、新芽は生え、若葉は萌え、その透ける輝きは淡い蒼空を映して、公園で戯れる子供たちの声のなかをのびやかに拡がっていた。吹き抜ける世界の呼吸。風の海。だが、プレザンスのこの緑の焔はあなたが点じたものだ。絡み合う光の歌声、波立つ現在の隙間から、なぜか涙のように滲み出し、薄く結晶化してくるあなたの不在。その球形の沈黙が、わたしの穴だらけの眼球の表面だ。意味を奪われた無数のSignesだ。不在によってはじめて燃え拡がるのか、世界、この灰色のパースペクティヴよ。眼の奥に黒い点が芽生えてくる。絶望ではない。不安ではない。遠い出口。遠い合図。あなたの不在が合図する。もうひとつの夜へ。強過ぎる光の渦へ。わたしは取り残されてあるのか。どこからか微かに響く弦の音。そのセンツァ・コローラの旋律に吸い込まれ、わたしは、乾いた眼でペラペラの青空を凝視めていた。

——だが、しかし、あなたを忘れるべきではないのか。それだけが、ぼくたちのたったひとつの真の祈りではないのか。記憶の、想い出のなにになろう。《安らかれ》と願う言葉のなにになろう。そうしながら、ぼくたちはあなたをこの低い湿った土地に引きとどめ、あなたをあなたの苦悩のなかで目覚めさせるのではないか。そして、誰があなたの苦痛を引き受けられよう。誰があなたの眼差しに耐ええよう。誰があなたに肉体を貸し与えられよう。——しかし、ぼくたちはあなたに繋がれてあるのだ。忘れることの不能と忘れないことの不能と、ぼくたちもまたあなたと同じ道なき道に係留されてあるのだ。とすれば、向こうの岸辺であなたもまた忘れないのだろうか、ぼくたちを。あなたもまた待つのだろうか、ぼくたちを。そのとき、見えない両岸のあいだで、眼差しが一瞬行き交うだろう。夜のようなひとつの合図が目くばせされるだろう。それが、わたしたちの無言の祈り、音のない純白のレクイエムであるか、あなたよ。

——《死》がどんな果実だと、詩人は言うのか。ぼくたちの光のなかで成熟するこの夜。だが、それはひとつの同じ夜だ。あなたの夜は、またわたしの夜だ。だが、この夜には裸身では跳び込めない。そこではあらゆる裸身が消えるからだ。そこへ。その荒地へ。言葉ではなく、水よ。わたしの肉体を搬べ！

（一九七七年）

パリ 一九七六年―七七年
――「あとがき」にかえて

西澤栄美子

一九七六年二月、宮川淳先生が、サバティカル研修でパリにいらした時、同時期にパリに留学していた私は、リール街の、当時私の住んでいた寄宿舎付近で、先生にお目にかかりました。前年、やはりサバティカルでパリに滞在されていた、成城大学で西洋音楽を講じていた同僚の、戸口幸策先生から、私のパリ滞在についてお聞きになって、連絡をいただいたとのことでした。セーヌ川の左岸、河畔から一つ奥へ入ったリール街へと歩いていらっしゃる宮川先生のお姿を、今でもよく覚えています。

後日、伺ったことですが、その年の春には、プルーストの『失われた時を求めて』の舞台となった場所のひとつ、イリエ＝コンブレに、サンザシの花の咲くころ訪れられたそうです。『失われた時を求めて』のポッシュ版をお持ちになっていて、その後も折にふれ読んでいらしたということも伺いました。その夏には、大学院の先生のゼミの学生で、私の友人の幾人かがパリへ来ることになり、パリ案内の予行練習ということで、セーヌ川の観光船、バトゥ・ムーシュにご一緒に乗船しました。そのかいあってか、夏休みにパリを訪れた友人たちと私は、無事バトゥ・ムーシュに乗り、暮れ残るパリの街を甲板から見上げつつ、セーヌを下っていました。桟橋から、私たちの乗船を見送ってくださった先生が、アレクサンドル三世橋の上から、私たちに手を振ってくださったのが、私がほとんど初めて見た、先生の茶目っ気でした。同じ夏、七月十四日の頃、大学院生で、先生のゼミ生であったSさんの、ポール・デルヴォーの壁画巡り（母国ベルギーにはデルヴォーの壁画がかなりたくさん残されているので、それを巡る旅でした）に、旅行気分で同行した私とともに、先生もお付き合いくださり、二泊三日、三人で旅をしました。ボードレールのベルギー、オランダへの憧れと幻滅を語ってくださったのは、この旅の途上でした。八月には、陽子夫人と当時高校生の達君が渡仏され、ご一家でフィレンツェからトリノへ、イタリア旅行をなさいました。九月末、東京へ帰国なさる飛行機の出発時刻に空港へ行ったのだが、ちょうど夏時間から通常の時間へ切り替わる時で、帰国便に乗り遅れてしまったと、これも後日、伺いました。

吉田喜重監督へのインタビューでも少し触れましたが、パリでの宮川先生は、学生だった私たちが知る、大学での先生に比べて、終始リラックスしていらして、幼少時のパリでの体験なども少しお話くださいました。一九三九年、お父様の任地モスクワからパリ経由での帰国の折の、四、五日のパリ滞在時に見た光景、フランスでは兎を食用にすると聞かされていたので、レストランで出された肉料理を、兎だと思って頑なに手を付けなかったこと、当時の宮様のどなたかに似ていると大人たちに言われたことなど、そんなお話を伺った記憶があります。

十月に帰国され、翌年二月に再びパリへいらした時には、黄緑色の小さいスパイラルノート（その内容の一部が『宮川淳著作集』に掲載されているものだと思います）を持っていらして、カフェのテラスで何か書いていらしたのを拝見したことがありました。そのとき、「マルセル・デュシャン展」をご覧になったと伺ったので、当時パリで開催されていた「他の美術展にはいらっしゃったのですか?」とお尋ねしたところ、「僕はもう、美術館に行くことにあまり興味が持てなくなったのですよ」とおっしゃいました。「クオ・ヴァディス?」「それなら何処へいらっしゃるのですか?」と、心の中で呟いた記憶があります。

一九七七年三月に発病。入院、手術を経て、先生は、陽子夫人の付き添いのもと、帰国なさいました。その後しばらくして、秋のセーヌ河畔の絵葉書をお送りしたことがありました。どこにでもある普通の観光絵葉書でしたが、先生が玉川病院に再入院なさっていたところで、絵葉書をご覧になった先生が、「生気が出た」とおっしゃっていたことを、後に陽子夫人から伺いました。

＊

この書物は、吉田喜重監督へのインタビューと小林康夫さん（尊敬する友人でもありますので、「さん」と呼ばせていただきます）の三つの文章からなっています。

この書物によって、いまや遠い、しかし確かな宮川淳という光芒の全体像が、より明確なものになるのかどうか、それはよくわかりません。それどころか、宮川淳のイマージュは、もしかするとますます遠ざかってゆくかもしれません。しかし、宮川先生のある側面、これまであまり語られることのなかった側面が私たちのもとに届けられるのは、確かなのではないでしょうか。

知的な雰囲気とやさしさに溢れたお母さまの芳さん、お名前のように太陽のようなお人柄で、はきはきしたお話しぶり、先生の病の時も、決して暗い顔をなさらなかった陽子夫人、宮川淳のひとり息子という重圧の中でも、明るくふるまっていらした、達さん、今はもう、皆さんこの世にはいらっしゃいません。

宮川淳先生は、ご家族、吉田監督、小林康夫さんや多くのご友人たちの想いの中に確かにいらっしゃったのであり、そして今もいらっしゃる、未来の読者もまた、「宮川淳とともに」いるのだということ、この書物が証しているのは、このことではないでしょうか。

二〇二一年十月

目次

吉田喜重

小林康夫

西澤栄美子

著者について――

吉田喜重（よしだきじゅう）

一九三三年、福井市に生まれる。映画監督。主な作品には、『ろくでなし』（一九六〇年）、『エロス+虐殺』（一九六九年）、『煉獄エロイカ』（一九七〇年）、『戒厳令』（一九七三年）、『鏡の女たち』（二〇〇七年）、主な著書には、『メヒコ　歓ばしき隠喩』（一九八四年）『小津安二郎の反映画』（一九九八年、いずれも岩波書店）、『贖罪――ナチス副総統ルドルフ・ヘスの戦争』（文芸春秋、二〇二〇年）などがある。

小林康夫（こばやしやすお）

一九五〇年、東京都に生まれる。東京大学名誉教授。哲学者。主な著書には、『不可能なものへの権利』（書肆風の薔薇／水声社、一九八八年）、『表象の光学』（未来社、二〇〇三年）、『絵画の冒険』（東京大学出版会、二〇一六年）、主な訳書には、ジャン＝フランソワ・リオタール『ポスト・モダンの条件』（水声社、一九八九年）、共編著には、『知の技法』（東京大学出版会、一九九四年）などがある。

西澤栄美子（にしざわえみこ）

一九五〇年、東京都に生まれる。もと成城大学講師。専攻、美学、フランス文学。主な著書には、『書物の迷宮』（一九九六年）、主な訳書には、クリスチャン・メッツ『映画記号学の諸問題』（共訳、一九八七年）、同『映画における意味作用に関する試論』（共訳、二〇〇五年、いずれも水声社）などがある。

装幀——宗利淳一

宮川淳とともに

二〇二一年一〇月二五日第一版第一刷印刷　二〇二一年一〇月三〇第一版第一刷発行

著者――吉田喜重＋小林康夫＋西澤栄美子

発行者――鈴木宏

発行所――株式会社水声社

東京都文京区小石川二―七―五　郵便番号一一二―〇〇〇二
電話〇三―三八一八―六〇四〇　ＦＡＸ〇三―三八一八―二四三七
［**編集部**］横浜市港北区新吉田東一―七七―一七　郵便番号二二三―〇〇五八
電話〇四五―七一七―五三五六　ＦＡＸ〇四五―七一七―五三五七
郵便振替〇〇一八〇―四―六五四一〇〇
URL : http://www.suiseisha.net

印刷・製本――精興社

ISBN978-4-8010-0604-1

水声文庫

美術・神話・総合芸術　白川昌生　二八〇〇円
美術館・動物園・精神科施設　白川昌生　二八〇〇円
西洋美術史を解体する　白川昌生　一八〇〇円
贈与としての美術　白川昌生　二五〇〇円
美術、市場、地域通貨をめぐって　白川昌生　二八〇〇円
戦後文学の旗手中村真一郎　鈴木貞美　二五〇〇円
シュルレアリスム美術を語るために　鈴木雅雄・林道郎　二八〇〇円
サイボーグ・エシックス　高橋透　二〇〇〇円
（不）可視の監獄　多木陽介　四〇〇〇円
マンハッタン極私的案内　武隈喜一　三二〇〇円
黒いロシア白いロシア　武隈喜一　三五〇〇円
魔術的リアリズム　寺尾隆吉　二五〇〇円
桜三月散歩道　長谷邦夫　三五〇〇円
マンガ編集者狂笑録　長谷邦夫　二八〇〇円
マンガ家夢十夜　長谷邦夫　二五〇〇円
未完の小島信夫　中村邦生・千石英世　二五〇〇円
転落譚　中村邦生　二八〇〇円
オルフェウス的主題　野村喜和夫　二八〇〇円
越境する小説文体　橋本陽介　三五〇〇円
ナラトロジー入門　橋本陽介　二八〇〇円

カズオ・イシグロ　平井杏子　二五〇〇円
カズオ・イシグロの世界　平井杏子＋小池昌代＋阿部公彦＋中川僚子＋遠藤不比人他　二〇〇〇円
カズオ・イシグロ『わたしを離さないで』を読む　田尻芳樹＋三村尚央＝編　三〇〇〇円
カズオ・イシグロと日本　田尻芳樹＋秦邦生＝編　三〇〇〇円
「日本」の起源　福田拓也　二五〇〇円
〈もの派〉の起源　本阿弥清　三二〇〇円
絵画との契約　山田正亮再考　松浦寿夫＋林道郎他　二五〇〇円
現代女性作家の方法　松本和也　二八〇〇円
現代女性作家論　松本和也　二八〇〇円
川上弘美を読む　松本和也　二八〇〇円
太宰治『人間失格』を読み直す　松本和也　二五〇〇円
ジョイスとめぐるオペラ劇場　宮田恭子　四〇〇〇円
福永武彦の詩学　山田兼士　二五〇〇円
魂のたそがれ　湯沢英彦　三二〇〇円
金井美恵子の想像的世界　芳川泰久　二八〇〇円
歓待　芳川泰久　二二〇〇円

［価格税別］